O FÔN I VAN DIEMEN'S LAND

Llyfrau Llafar Gwlad

O Fôn i Van Diemen's Land

J. Richard Williams

Llyfrau Llafar Gwlad
Golygydd y gyfres: Lyn Ebenezer

ⓗ testun: J. Richard Williams

Argraffiad cyntaf: Gorffennaf 2007

Rhif Llyfr Safonol Rhyngwladol:
1-84527-128-9
978-1-84527-128-2

Mae'r cyhoeddwyr yn cydnabod cefnogaeth ariannol
Cyngor Llyfrau Cymru

Lluniau clawr a'r lluniau tu mewn: J. Richard Williams
Cynllun clawr: Sian Parri

Argraffwyd a chyhoeddwyd gan Wasg Carreg Gwalch,
12 Iard yr Orsaf, Llanrwst, Dyffryn Conwy, LL26 OEH.
☎ 01492 642031   ▤ 01492 641502
✆ llyfrau@carreg-gwalch.co.uk

I Mavis – fy ngwraig,
ac i David, Denise, Olivia ac Adam –
disgynyddion Anne yn Nhasmania

'As one reads history . . . one is absolutely sickened not by the crimes the wicked have committed, but by the punishments the good have inflicted.'

Oscar Wilde

Dyfynnwyd yn *Welsh Convict Women*, Deirdre Beddoe, Stewart Williams Publishers, 1979

Cynnwys

Cyflwyniad

Daeth hanes Anne Williams i'm sylw wrth eistedd yn Llyfrgell Plas Tan y Bwlch a lle y dylwn fod yn gwrando ar ddarlith, ond nid oedd y ddarlith na'r darlithiwr ymysg y rhai mwyaf ysbrydoledig yn y byd. Yn hytrach na gwrando, rhoddais fy sylw ar lyfr ar y silff wrth f'ochr a nodi ei deitl, yr awdur a'i gynnwys. Ynddo y deuthum ar draws hanes Anne am y tro cyntaf ond, yn anffodus, yn yr isymwybod y cafodd y manylion eu cadw. Wedi ailystyried pwysigrwydd stori o'r fath ymhen blynyddoedd, dechreuwyd ar y gwaith o holi a stilio a sylweddoli, bryd hynny, cyn lleied o'r ardal oedd yn gwybod am yr achos, ac i'r rhai oedd yn gwybod rhyw gymaint amdani fod dan gamargraff o'r hyn ddigwyddodd. I rai, geneth ddiniwed a garcharwyd ar gam oedd hi. I eraill, yr oedd Anne yn euog o droseddau di-rif. Bellach, mae'n rhy hwyr i gael y gwir a rhaid bodloni ar ffeithiau llychlyd er mwyn ceisio rhoi cig a gwaed ar yr esgyrn sychion.

Cafodd Anne ei chyhuddo o ddwyn ac ymddangosodd yn y Seisus ym Miwmares. Yno, fe'i dedfrydwyd i'w thrawsgludo am ddeng mlynedd i Van Diemen's Land yn 1842.

Mae mwy na hynny i'r hanes, wrth gwrs, ac ymgais yw'r llyfryn hwn i lenwi bylchau yng ngwybodaeth pobl yr ardal ac eraill am amgylchiadau a ganiatâi i ferch ddwy ar bymtheg oed, a'i thebyg, gael eu taflu i 'ben draw'r byd' am droseddau cymharol ddibwys.

Ychydig iawn, os un o drigolion Llanfechell yn 1842, a wyddai am yr hyn ddigwyddai o ddydd i ddydd ym Mhrydain. Faint tybed a wyddai am Grace Darling a achubodd naw o longddrylliad y *Forfarshire*? Pwy o'r Llan, y flwyddyn honno, a deithiodd am y tro cyntaf yn eu bywyd ar drên – fel ag y gwnaeth y frenhines Fictoria? Oedd o'n bwysig i drigolion Llanfechell wybod fod Bernardo O'Higgins wedi marw yn Chile? Wydden nhw ddim am yr uchod mae'n siŵr, ac yn yr un modd ni wyddai'r tri enwogyn am fodolaeth Anne Williams o Lanfechell a drawsgludwyd i Awstralia. Ond y mae i'r pedwar digwyddiad eu rhan ym mhasiant lliwgar hanes lleol Ynys Môn a hanes Prydain a'r byd.

Dyna pam na ddylai'r un fynd yn angof.

'... eich trawsgludo dros y môr ...'

Arferai 'Trawsgludo' fod yn air i godi ofn ar bobl. Sawl troseddwr tybed, yn sefyll o flaen ei well, a deimlodd ei hun yn gwegian o glywed y Barnwr yn ynganu dedfryd o drawsgludo? Yn 1597, yn ystod teyrnasiad Elisabeth I, lluniwyd cyfraith oedd yn dweud y dylent '... *be banished out of this Realm ... and shall be conveyed to such parts beyond the seas as shall be ... assigned by the Privy Council.*' Pe bai unrhyw un yn dychwelyd i Loegr heb ganiatâd, fe'i crogid.[1]

Yn yr ail ganrif ar bymtheg, anfonwyd carcharorion dan ddedfryd o farwolaeth i weithio ym mhlanhigfeydd y *'Virginia Company'* o eiddo Syr Thomas Dale, marsialydd Virginia, America.

O 1618 ymlaen anfonwyd minteioedd o '... *felons* ...' i ardaloedd fel Massachusetts yn y gogledd, ac i'r de. Yn 1650 a 1651 anfonwyd carcharorion rhyfel i'r America gan Cromwell yn dilyn brwydrau Dunbar a Chaerwrangon. Anfonodd Cromwell, hefyd, nifer sylweddol o Wyddelod a oedd wedi gwrthsefyll ei ymosodiad ar yr Iwerddon i India'r Gorllewin.

Sefydlwyd cyfraith arall yn ystod teyrnasiad Siôr I (4 Geo1, c.11), oedd yn mynnu fod pawb a ddedfrydwyd am fân drosedd *(minor offence)* i'w trawsgludo am saith mlynedd i'r America yn hytrach na'u curo a'u llosgnodi. I'r rhai oedd wedi derbyn Pardwn y Brenin yn dilyn eu cael yn euog o brif drosedd *(capital offence)*, y gosb oedd eu trawsgludo am bedair blynedd ar ddeg. Yn ystod y trigain mlynedd nesaf trawsgludwyd tua deugain mil – neu yn hytrach fe'u gwerthwyd i gaethwasiaeth – deng mil ar hugain o Brydeinwyr a deng mil o Wyddelod. Cadwai hyn boblogaeth carchardai Prydain yn gymharol isel.

Ar long yn cario carcharorion ar draws yr Iwerydd y teithiodd Goronwy Owen a'i deulu ar eu ffordd i Williamsburgh. Ei henw oedd y 'Tryal'. Yr oedd hon yn llong oedd wedi arfer gwneud y fordaith ers ei thaith gyntaf yn Ebrill 1750. Hwyliodd i lawr yr afon Tafwys ar 1 Rhagfyr, 1757 cyn ymuno â chonfoi o rai eraill ar arfordir dwyrain Caint a chyrraedd Virginia yn ystod mis Mawrth 1758 wedi '... mordaith hirfaith ...' yn llawn helbulon – i Goronwy, beth bynnag.

Yn 1775, yn dilyn Gwrthryfel America, gwrthodwyd derbyn troseddwyr o Brydain gan fod y farchnad gaethweision Negroaidd yn mewnforio hyd at saith mil a deugain y flwyddyn.

Gobaith Siôr III oedd y byddai newid yn yr hinsawdd wleidyddol ac y gellid ailddechrau'r arfer o anfon troseddwyr i'r America. *'Undoubtedly the Americans cannot expect nor ever will receive any favour from Me, but the permitting them to obtain Men unworthy to remain in this Island I shall certainly consent to.'*[2]

Nid felly y bu ac yn 1776 caed cyfraith arall *The Hulks Act* (16 Geo. III, c.43). Bwriad hon oedd lleoli hen longau rhyfel, llongau cario milwyr neu longau masnach neu hylcs, fel y'u gelwid, ym mhorthladdoedd Plymouth, Portsmouth a Langston ar arfordir de Lloegr ac yn Deptford a Woolwich ar yr afon Tafwys yn Llundain, heb na mast na rigin ar eu cyfyl, a'u defnyddio i garcharu troseddwyr. Anfonwyd rhai a ddedfrydwyd i drawsgludiad i'r llongau yma hefyd i aros eu tro tra byddai llywodraeth y dydd yn penderfynu ble i'w hanfon.

Tra ar yr hylcs disgwyliwyd i'r carcharorion weithio i un o'r gwasanaethau lleol. Carcharwyd hyd at dair mil ar bob un a'r rheini fel cymunedau bychan, bron yn hunangynhaliol, efo'u hysbyty eu hunain, a'r cyfan dan oruchwyliaeth arolygwr, nifer o swyddogion 'llai pwysig', offeiriad a llawfeddyg.

Wedi cyrraedd a chael eu cofrestru yr oedd pawb yn cael sgwrfa iawn a'u gwisgo mewn iwnifform o frethyn bras, llwyd. *'I was Striped of my Clous and then I was Put into a tub of water and wel washed allover and I neaver Saw my Clous after and then I Put on thear dress which was Course brown dress and then I had a hion Put round mileage and that was Fastned on my leage and I weared it day and night and it was Three Pounds and I wared it day and night'* (Profiad George Reading, 1841).[3] Dyma'u dillad gwaith a'u dillad hamddena – os oeddynt yn ddigon ffodus i allu hamddena. Telid swllt yr wythnos am unrhyw waith a wnaed gan y carcharorion ond hawliai'r llywodraeth un geiniog ar ddeg. O'r geiniog a ganiatawyd i bob unigolyn, caent gadw un rhan o dair a'r gweddill yn cael ei gadw fel lwmp swm at ddiwedd y ddedfryd.

Anodd iawn oedd amgylchiadau byw ar yr hylcs, yn arbennig felly i rai ifanc o gefn gwlad ac o gefndir ieithyddol arall oedd yn wynebu'r posibilrwydd real o orfod torri cysylltiad â'u teulu, cartref a gwlad eu mebyd. Efallai bod y ffaith i rai o'r carcharorion gael eu cadw ar yr hylcs am nifer o flynyddoedd fod yn waeth, a hwythau mor agos ond, eto, mor bell i ffwrdd o'u cartref.

Methiant llwyr fu'r cynllun. Erbyn 1790 yr oedd niferoedd y troseddwyr oedd angen eu carcharu yn cynyddu fesul mil y flwyddyn. Yr oedd diogelwch ar y fath longau yn broblem enfawr a diffyg glanweithdra a meddyginiaeth effeithiol yn achosi heintiau a chlefydau megis y teiffws fel eu bod yn codi ofn ar y boblogaeth rydd oedd yn byw gerllaw. Ni ellid gadael i longau o'r fath bydru nac i'r broblem barhau.

Ymysg gweithiau Charles Dickens ceir darluniau a disgrifiadau diddorol a dychrynllyd o'r cyfnod. Yn eu mysg mae'r un o *Great*

Expectations lle mae Magwitch, wedi dianc oddi ar un o'r hylcs ar lannau'r Tafwys, yng nghorsydd Essex ac wedi cael ei ddal. Yn ei ddychryn a'i ofn, mae Pip yn gweld, yng ngolau ffaglau'r awdurdodau: ' . . . *the black Hulk lying out a little way from the mud of the shore, like a wicked Noah's ark, cribbed and barred and moored by massive rusty chains . . .* "[4], a honno'n ymddangos i'r bychan i fod yn gaeth fel y carcharorion eu hunain.

Rhaid oedd datrys y broblem, a hynny ar frys. Rhaid oedd tawelu ofnau a dileu'r problemau. 'Doedd dim dewis ond i ailddechrau'r arferiad o drawsgludo troseddwyr dros y môr. Ond y cwestiwn oedd – trawsgludo i ble?

Doedd ond un ateb – AWSTRALIA. Ymysg nifer o resymau am hyn oedd y ffaith bod Awstralia, i bob pwrpas, yn anghysbell ym mhen draw'r byd ac ychydig, ar y pryd, a wyddai am ei bodolaeth. Yr oedd wedi ei hawlio yn enw Prydain gan y Capten James Cook ac yr oedd angen sefydlu presenoldeb yno rhag i'r Ffrancwyr a fforwyr o'r Iseldiroedd gael eu denu yno a hawlio'r diriogaeth yn enw eu gwledydd eu hunain.

Nid mater hawdd oedd dod i benderfyniad. Yr oedd peth gwrthwynebiad e.e. gan Jeremy Bentham, diwygiwr a gwrthwynebydd cryf i drawsgludo, ac meddai, a'i dafod yn ei foch, yn dirmygu y rhai oedd yn cefnogi'r cynllun:

> *I sentence you, but to what I know not; perhaps to storm and shipwreck, perhaps to infectious disorders, perhaps to famine, perhaps to be massacred by savages, perhaps to be devoured by wild beasts. Anyway – take your chance; perish or prosper, suffer or enjoy; I rid myself of the sight of you.*[5]

Pan anfonwyd troseddwyr i America, yr oedd rhywun yno i'w derbyn, eu prynu a'u gosod ar waith, ac ni chostiai'r fenter fawr i lywodraeth Lloegr. Ond os anfonid hwy i Awstralia, byddai'n rhaid gwneud trefniadau pwrpasol i'w hanfon allan mewn llongau fyddai'n gorfod dychwelyd yn waglaw. Doedd yno neb i'w derbyn na gwaith wedi ei bennu ar eu cyfer. Byddai'n rhaid talu pob ceiniog am eu cadw a chan fod y llywodraeth ar y pryd, dan arweiniad William Pitt yr Ieuengaf, bron yn fethdalwr oherwydd costau uchel y rhyfel yn erbyn Ffrainc, ni allent yn hawdd, ar un llaw, fforddio'r gost o £29,000 i sefydlu trefedigaeth boenydiol na'r £41,000 i gynnal y lle hyd nes y deuai yn hunangynhaliol. Ar y llaw arall, ni allai Prydain fforddio rhoi'r llaw uchaf i Ffrainc na'r Iseldiroedd yn y Dwyrain Pell. Ni allent golli eu hawdurdod yn yr India chwaith. Rhaid oedd cadw presenoldeb yno a dyna pam, yn anuniongyrchol mewn gwirionedd, y cytunwyd, wedi hir drafod a phendroni, ar ddewis Botany Bay, Awstralia fel safle ar gyfer trawsgludo.

Yn y ddeunawfed ganrif yr oedd i goed pîn a llin bwysigrwydd eithriadol i longau rhyfel y Llynges Brydeinig. Gwnaed mast llong hwyliau a'r trawsbrennau o goed pîn, ac ar gyfer llong ryfel saith deg pedwar gwn yr oedd angen coeden i lunio prif fast oedd yn dair troedfedd o drwch yn ei waelod ac yn gant ag wyth troedfedd o uchder a hwnnw heb nam o gwbl. Ar gyfer un llong yn unig roedd angen dau ar hugain o fastiau a thrawsbrennau a channoedd o lathenni sgwâr o lin ar gyfer yr hwyliau. Yn y cyfnod cyn 1780, caed yr anghenion hyn o Rwsia ond nid oedd y daith yn ôl a blaen i'w cyrchu yr un hwylusaf, a phan gododd bygythiad i'r trefniant hwnnw bu'n rhaid chwilio am ffynhonnell arall. Yn ei adroddiad am diroedd y de, crybwyllodd Joseph Banks Ynys Norfolk, fil o filltiroedd i'r gogledd o Botany Bay ac a ddarganfuwyd gan Cook yn 1774 fel lle oedd, fwy na thebyg, yn ddelfrydol gan fod coed pîn a llin i'w cael yno. Felly, pa well lle ar gyfer anghenion y Llynges ac i sefydlu presenoldeb Prydeinig yno na defnyddio tir Awstralia fel carthfa i droseddwyr y wlad?

Eto i gyd, ni pherswadiwyd Pitt. Parhau wnaeth y trafod a'r perswadio am gryn amser. Bu James Mario Matra, cyn Is–swyddog ar yr *Endeavour* yn ceisio perswadio yr Arglwydd North i ddefnyddio New South Wales fel lle i anfon sefydlwyr. Ar y pryd, soniodd o ddim am drawsgludo ond pan ddaeth Is-iarll Sydney yn Ysgrifennydd Cartref a Thramor yn 1783 y broblem fawr a wynebai yntau oedd yr hylcs a'r carchardai. Ailgynigiodd Matra ei gynllun gan nodi ei addasrwydd ar gyfer datrys problem Sydney yr un pryd. '*Give them a few acers of ground as they arrive . . . in absolute property, with what assitance they may want to till them. Let it be here remarked that they can not fly from the country, that they have no temptation to theft, and that they must work or starve.*'[6]

Ar 20 Ebrill, 1785 cyfarfu pwyllgor arall a sefydlwyd gan y llywodraeth dan gadeiryddiaeth yr Arglwydd Beauchamp i benderfynu unwaith ac am byth sut i ddatrys y broblem gynyddol yma. Penderfynwyd o'r diwedd, yn 1786, mai Botany Bay oedd y lle delfrydol gydag ôl-nodyn eglur iawn i atgoffa pawb o wir bwrpas y lle: '*His Majesty's Colony of Van Diemen's Land is not intended to reform criminals, but simply to store them, like so much rubbish in a dust heap, so that England can be emptied of trouble makers once and for all.*'[7] Cyflwynwyd cynllun i drawsgludo hyd at chwe chant ar y Llynges Gyntaf i'r Cyfrin Cyngor yn Awst y flwyddyn honno. Rhoddwyd y cyfrifoldeb am y cynllun, sefydlu trefedigaeth newydd a gwarchod y carcharorion i'r Capten Arthur Philip:

'... *a remakably humane man for such a brutish enterprise ...* '[8] gan Siôr III ar 12 Hydref, 1786.

Derbyniodd yntau'r cynnig.

1   *The Fatal Shore*, Robert Hughes, Pan 1988
2   *The Fatal Shore*, Robert Hughes, Pan 1988
3   George Reading, 1841
4   *Great Expectations*, Charles Dickens, 1861
5   *Welsh Convict Women*, Deirdre Beddoe, Stewart Williams Publishers 1979
6   *The Fatal Shore*, Robert Hughes, Pan 1988
7   *English Passengers*, Matthew Kneale, Penguin 2002
8   *Australians from Wales*, Lewis Lloyd, Gwynedd Archives and Museums Service 1988

I Botany Bay

Paratowyd y Llynges Gyntaf i gychwyn i Awstralia o Portsmouth. Daliwyd y llanw am dri o'r gloch y bore ar 13 Mai, 1787. Cynhwysai'r llynges un llong ar ddeg. Y prif long oedd y *Sirius*. Y llongau eraill oedd y slŵp *Supply*; y llongau stôr a chadw – *Borrowdale, Fishburn* a'r *Golden Grove*; llongau carchar yr *Alexander, Charlotte, Friendship, Lady Penrhyn* – cargo o ferched; *Prince of Wales* – cargo o ddynion yn bennaf, a'r *Scarborough* – yr hynaf o'r llongau ar y fordaith.

Y gost am logi'r llongau oedd 10/- y dunnell y mis neu bron i £20,000 (£1,632,179.93 yn 2004). Profodd gwaredu'r wlad o droseddwyr yn fusnes costus iawn.

Ymysg y rhai a orfodwyd i deithio oedd: William Smith a ddedfrydwyd yn y llys yn Ninbych; William Davies o Aberhonddu; Mary Watkins pedair ar bymtheg oed o St Andrew's ym Morgannwg a deithiodd ar y llong *Friendship*; Frances Williams a ddedfrydwyd i'w thrawsgludo am saith mlynedd gan y llys yn Yr Wyddgrug am dorri i mewn i dŷ ac a hwyliodd ar y *Prince of Wales*.

Yn ogystal â'r Cymry, yr oedd tua 730 o droseddwyr (570 o ddynion a 160 o ferched) yn cynnwys rhai fel:

Dorothy Handland – wyth a phedwar ugain mlwydd oed yn 1787 – yr hynaf i'w thrawsgludo am ddweud celwydd. Hi, hefyd, a gyflawnodd yr hunanladdiad cyntaf yn Awstralia yn 1789.

Joseph Owen o Sir Amwythig – y gŵr hynaf – er na wyddai neb ei oedran yn fanwl, credid ei fod rhwng trigain mlwydd oed a thrigain a chwech.

John Hudson – y plentyn ieuengaf yn naw mlwydd oed oedd wedi dwyn dillad a phistol. Ni chafodd fawr o gyfle i arfer ei grefft yn Awstralia mae'n siŵr, gan mai glanhau simneiau oedd ei waith arferol.

Elizabeth Hayward tair mlwydd ar ddeg, oedd yn arfer gwneud clocsiau ond a ddaliwyd yn dwyn ffrog liain a boned sidan gwerth 7 swllt.

Dengys y rhestr mai mân droseddau oedd yn gyfrifol am i'r mwyafrif gael eu hanfon allan i Awstralia, a gellid dadlau, yn enwedig ar ddechrau'r unfed ganrif ar hugain gyda'n gwasanaeth cymdeithasol, profiannaeth a charchar gohiriedig, fod yr ymateb yn un llawdrwm iawn ac yn un na ellid ei gyfiawnhau.

Ar gyfer dechrau bywyd mewn gwlad newydd, rhaid oedd paratoi yn drylwyr a chael popeth ar fwrdd y llong i fynd gyda hwy. Os anghofiwyd unrhyw beth, yna rhaid fyddai llunio un o'r newydd neu wneud hebddo.

Efallai bod anian neu natur llawer o'r teithwyr yn debyg, ond yr oedd eu cefndir yn bur wahanol a hwnnw, yn aml iawn, yn hollol anaddas ar gyfer y bywyd a'r problemau a'u hwynebai yn Awstralia. Ymysg y galwedigaethau a gynrychiolwyd gan rai a deithiai ar y Llynges Gyntaf oedd: morwr, saer, crydd, gwehydd, cariwr dŵr, turniwr ifori, gwneuthurwr briciau, saer maen, gwas/morwyn, teiliwr lledr, teiliwr, cigydd, gemydd, pobydd, lliwiwr sidan, pysgotwr, mewn gwasanaeth domestig (50% o'r gwragedd), gwneuthurwr hetiau, gwerthwr wystrys, rhwymwr esgidiau, gwneuthurwr te.

Cyrhaeddodd y Llynges Botany Bay ar 19/20 Ionawr, 1788 ond helbulus fu'r oriau cyntaf yno gan nad oedd pridd da na dŵr glân ar gael. Hwyliodd Philip i'r gogledd i harbwr Port Jackson a glanio yn y fan honno a chodi'r fflag ar 26 Ionawr, 1788. Yma, roedd un o safleoedd naturiol gorau'r byd i angori ac meddai Philip mewn neges i'r Arglwydd Thomas Townshend Sydney, dyddiedig 15 Mai, 1788: 'We got into Port Jackson early in the afternoon, and had the satisfaction of finding the finest harbour in the world, in which a thousand sail of the line may ride in the most perfect security . . .'

Erbyn 7 Chwefror, yr oedd pawb a phopeth wedi'u dadlwytho a threfn bendant wedi ei gosod i fywyd yn y drefedigaeth newydd. O ran parch i'r Ysgrifennydd Cartref, galwyd y lle yn Sydney Cove. O'r diwrnod cyntaf, bu'n rhaid ymroi i waith caled gan fod y rhan fwyaf ar y llynges yn anghyfarwydd â gwaith trin y tir a chodi adeiladau oherwydd eu cefndir trefol. Yr oeddynt, yn ôl un disgrifiad, yn griw hollol anaddas ar gyfer yr amgylchiadau oedd yn eu hwynebu. A dweud y gwir, mae'n rhyfeddol fod cymaint wedi llwyddo i dyfu bwyd a chodi cysgod iddynt eu hunain.

Wedi cyrraedd yno, rhoddwyd gwaith i'r carcharorion i'w wneud yn enw'r llywodraeth ac wedi cyfnod ar brawf yn gwneud hynny, fe'u rhoddwyd i wladychwyr newydd fel gweision 'caeth'. Ymhen amser, gydag enw da a blynyddoedd o waith caled y tu ôl iddynt, caent Docyn Rhyddid (ticket of leave). Ond nid rhyddid i ddychwelyd adref oedd hyn. Rhaid oedd aros yn y dalaith yn Awstralia, mwynhau y 'fraint' o gael gweithio iddynt eu hunain ac nid i feistr ac, efallai, priodi a chodi teulu a thrin y tir yn y fan honno. Yr oedd yn orfodol i adnewyddu'r Tocyn Rhyddid bob blwyddyn a gellid ei golli yn hawdd am ddiogi, haerllugrwydd, bod yn ddigywilydd tuag at swyddog, milwr neu un o'r cwnstabliaid neu am godi pris rhy uchel am waith i rywun arall tu allan i oriau swyddogol! Gellid hawlio rhyddid mewn dwy ffordd arall:

1. Pardwn di-amod – a roddai hawl i garcharor ddychwelyd adref;
2. Tocyn amodol – a ganiatâi i'r deiliaid ddinasyddiaeth y dalaith ond heb yr hawl i ddychwelyd adref.

Ychydig iawn aeth yn ôl adref. Efallai eu bod wedi chwerwi wrth y wlad a'u halltudiodd am droseddau cymharol ddibwys. Bu eiliadau o wendid yn gyfrifol am flynyddoedd o edifarhau a dioddefaint, ond ni allai neb droi'r cloc yn ôl. Pe baent yn ymwybodol o'r math o fywyd oedd yn eu hwynebu yn Van Diemen's Land, faint, tybed, fyddai wedi troseddu yn y lle cyntaf?

Llongau eraill a gyrhaeddodd Awstralia oedd y *Lady Juliana*, a adawodd Lloegr ym mis Gorffennaf 1789. Ar ei bwrdd roedd nwyddau a achubodd drigolion y drefedigaeth newydd rhag llwgu. Cyrhaeddodd yr Ail Lynges o dair llong ym Mehefin 1790 a'r Trydydd Llynges yn ystod Awst/Medi/Hydref 1791, a bu llongau'n teithio'n rheolaidd yno hyd at 1868.

Cwmni Camden, Calvert & King oedd yn gyfrifol am gyflenwi llongau, dillad a bwyd i'r tair llynges gyntaf ond oherwydd eu hesgeulustod o'r gwaith a chyflwr gwael y llongau a'r carcharorion yn cyrraedd Awstralia, collwyd y cytundeb.

Bu nifer fawr o longau yn teithio yn ôl a blaen i Awstralia, rhai yn rheolaidd iawn, er enghraifft y *Britannia*, ond o 1821 ymlaen yr oedd prinder llongau ar gyfer y gwaith gan fod cymaint o alw ar longau i gludo ymfudwyr i'r America ac Awstralia i chwilio am aur a châi hynny flaenoriaeth. O astudio hanes y llongau cario carcharorion, gwelir bod pob math o ddigwyddiadau a helyntion wedi dod i'w rhan, er enghraifft: miwtini ar y *Marquis Cornwallis*; cael eu camdrin ar y *Britannia* ac arweinwyr y miwtini yn cael eu chwipio 300 gwaith un diwrnod a 500 drannoeth! Collodd rhai llongau nifer fawr o'u 'cargo' oherwydd salwch, er enghraifft yr *Hillsborough* a'r *Royal Admiral*.

Gwnaed teithiau cyflym iawn gan ambell long, ond methu cyrraedd pen y daith wnaeth y *Tellincherry, Neva, George III* a'r *Boyd* oherwydd iddynt gael eu dryllio cyn cyrraedd Van Diemen's Land. Cael ei herwgipio wnaeth yr *Emu* ar 30 Tachwedd, 1812 gan y llong Americanaidd *Holkar* o Efrog Newydd! Dioddefodd criw a chargo y *Barring* o sgyrfi; ymosodwyd ar lawfeddyg y *Brothers* a gwnaed ymgais i roi'r *John* ar dân!

Defnyddiwyd 825 o longau yn chwifio pennant goch a gwyn i gludo carcharorion o Brydain i Awstralia. Erbyn 1800, ac oherwydd problemau'r rhyfel yn erbyn Ffrainc, dim ond 42 o longau oedd wedi gwneud y daith. Rhwng 1801 a 1813, nid oedd mwy na phum llong y flwyddyn wedi angori yn Sydney. Hyd at 1814 yr oedd mil o garcharorion y flwyddyn yn cyrraedd ond o 1815 ymlaen, agorwyd y llifddorau, gyda'r penllanw rhwng 1831 a 1835 – 133 llong yn gadael gan gludo 26,731 carcharor. Yn 1833 – gadawodd 36 llong yn cludo 6,779 carcharor. Gadawyd 4,000 yn New South Wales gan fynd a'r gweddill i Van Diemen's Land.

'Blin fu'r daith a hir . . . ' i bawb, gyda'r Llynges Gyntaf yn cymryd 252 diwrnod i gyrraedd pen y daith. Erbyn 1830, yr oedd hyd y fordaith mewn diwrnodau wedi'i haneru a'r daith yn cael ei chwblhau mewn 110 niwrnod. Ymysg y teithiau cyflymaf mewn llai na chan niwrnod oedd y rhai gan *Eliza I* yn 1820; *Guildford* yn 1822 a'r *Norfolk* yn 1829 a'r gyflymaf ohonynt i gyd gan *Emma Eugenia* mewn 95 diwrnod yn 1838.

Y llong olaf i gludo carcharorion oedd yr *Hougoumont* a hwyliodd yn 1867 gyda llwyth o Wyddelod (Ffeniaid – cenedlaetholwyr Catholig o Ogledd Iwerddon) ar ei bwrdd ar eu ffordd i Orllewin Awstralia.

Yn ystod seremoni agor theatr gyntaf Awstralia yn 1796, cafwyd darlleniad o farddoniaeth oedd yn cynnwys y pennill:

'*From distant climes, o'er wide spread sea we come,*
(Though not with much éclat, or beat of drum)
True patriots all; for be it understood,
We left our country for our country's good . . . '[1]

Ni ddywedwyd erioed, efallai, gymaint o wirionedd mewn pennill bach mor syml ond mae'n ffaith, yn ddiamau, mai'r rhai a orfodwyd i adael ar y Llynges Gyntaf ac wedyn, oedd y rhai a wnaeth Awstralia y wlad yw hi heddiw.

---

[1]   *Our Country's Good*, Timberlake Wertenbaker, Methuen Drama 1995

Bywyd ym Môn
ym mlynyddoedd canol y 19eg ganrif

'Nodweddir y bedwaredd ganrif ar bymtheg gan chwyldroad masnachol a chymdeithasol . . . ',[1] meddai E. A. Williams. Prif ddigwyddiad Prydain, os nad y byd i gyd, yn y ganrif honno oedd coroni'r frenhines Victoria. Yn ystod oriau man y bore 20 Mehefin, 1837 hysbyswyd Alexandrina Victoria o farwolaeth William IV ac mai hi yn awr oedd y frenhines. Dyma ddechrau'r cyfnod mwyaf cyffrous yn hanes y wlad (1837-1901), ac a ddylanwadodd ar bron bob gwlad arall i raddau pellgyrhaeddol. Hwn oedd y cyfnod pan ddaeth Prydain i'r brig a 'choch' yr Ymerodraeth Brydeinig yn lledaenu ar y map.

'Yr oedd manteision addysg y pryd hynny yn dra phrin yn y wlad . . . ond yr oedd y werin yn dra phell oddi wrth ddylni o anwybodaeth . . . '[2] meddai Daniel Rowlands o Langefni yn 1827. Nid oedd amgylchiadau fawr gwell erbyn y 1840au. Meddai'r Parchedig Peter Williams: ' . . . Adeg o galedi a phrinder oedd tymor fy mhlentyndod. Yn y flwyddyn 1846 y methodd y cnwd cloron a chyda hynny cafwyd cynhaeaf gwlyb a ddifaodd lawer o'r yd . . . Bywyd caled oedd eiddo y werin, y pryd hynny, ar y gorau. Gwnaed i fyny ymborth y bobl dlodion, yn bennaf o laeth a llysiau – uwd a bara llaeth yn y bore a'r nos a chloron llaeth ganol dydd . . . Ni welwyd cig ar fwrdd bwthyn oddi eithr yn achlysurol i ginio Sul a gŵyl Nadolig . . . '[3]

Fel y disgrifir yn nghofiant John Williams, Brynsiencyn yr oedd yn rhaid i bob teulu allu ychwanegu at eu hymborth mewn unrhyw ffordd bosib: ' . . . perthynai i'r Hen Gapel acer o dir, a pherllan helaeth yn rhan o libart y tŷ ac yn y dyddiau yr oedd ffrwythau'n brin yn yr Ynys dygai ei chynnyrch elw nid bychan i'r teulu. Dysgodd y bechgyn yn bur ieuainc hel eu tamaid o amgylch y mynydd, a daethant yn fedrus ymhell tu hwnt i'r cyffredin ar hela a physgota. Dywedir fod John yn 'sgut am bry'. Llwyddodd i gael dryll . . . ac ystyrid ef yn ddiguro am olrhain llwybr yr ysgyfarnog yn y gwlith a'r eira, ac yn ddifeth am eu dal . . . '[4] Pan symudodd y teulu i fyw i Gemaes, aeth y tad a'i gi a'i ddryll efo fo. 'Ofnai Miss Broadhead gi a dryll yn fawr, ond gwyddai John Williams fod arni fwy o ofn crwydriaid. Perswadiodd hi fod ar y rhan fwyaf o'r urdd grwydrol ofn ci, a bod sŵn ergyd o wn yn ddigon i yrru'r dewraf ohonynt ar ffo.'[5]

Yr oedd 40au a 50au y bedwaredd ganrif ar bymtheg yn amser o newid mawr ym mhob man. Ym Môn yn arbennig, yr oedd y Chwyldro Diwydiannol wedi methu i raddau helaeth iawn ac ar i lawr yr âi yr economi leol. I'r werin gyffredin, yr oedd cyni yn wynebu bron bob teulu tra bod y tirfeddianwyr cyfoethog yn mwynhau eu hunain. Sefydlwyd tlotai ond nid oeddynt yn bodloni anghenion y boblogaeth. Yr oedd amgylchiadau yn anodd os nad yn amhosib ynddynt. Gwrthodwyd i gyplau priod fod yn yr un Wyrcws ac felly gwnaed ymdrech fwriadol gan deuluoedd i gadw draw o'r fath lefydd. Ffurfiwyd Undeb Deddf y Tlodion ym Môn ar 1 Mehefin, 1837. Cyfrifoldeb Bwrdd y Gwarcheidwaid oedd gweithredu'r ddeddf – 63 ohonynt yn cynrychioli'r 53 plwyf oedd yn rhan o'r undeb. Yn eu mysg roedd plwyf Llanfechell. Yr oedd y boblogaeth o fewn yr undeb yn 37,231 a'r nifer o dlodion o fewn y plwyfi yn amrywio o 57 yn Llannerch-y-medd i 6,285 yn Amlwch.

Dyma'r cyfnod yn dilyn brwydr Waterloo a llawer o filwyr wedi dychwelyd gartref. Dyma pryd y gwelwyd ehangu mawr mewn mannau fel Caergybi gyda datblygiadau yn y porthladd yn gyfrifol am fewnlifiad o Wyddelod a Saeson; Amlwch, a'r porthladd ym Mhorth Amlwch; cryddion Llannerch-y-medd yn eu hanterth yn darparu ar gyfer marchnad oedd yn prysur dyfu – e.e. 250 o gryddion yn gweithio yn y 'Llan' yn 1833 mewn 53 gweithdy. Yr oedd bron i 40 o siopau eraill yn Llannerch-y-medd ar y pryd yn amrywio o gigyddion i raffwyr; o sychwr llin i ddyn hoelion. Cyflogwyd tua 200 o ddynion yn chwareli Traeth Coch; codwyd glo o byllau Pentre Berw. Ar y ffyrdd, gwelwyd yr A5 yn cael ei hadeiladu ac yn cwtogi hyd y daith o Lundain i Gaergybi o 48 awr yn 1784 i ddim ond 27 awr yn 1836 a phontydd Menai yn croesi o Arfon gan ddenu criw niferus o nafis crwydrol o Iwerddon, yr Alban, Cymru a Lloegr ac a fu'n gyfrifol am lawer o droseddau. Daeth hamddena i'r byddigions yn fwy cyffredin ac agorwyd pier ym Miwmares iddynt gerdded ar ei hyd, gan y Fonesig Bulkeley ar 1 Tachwedd, 1843. Roedd dros 50 o siopau yn y dref i ddiwallu anghenion y boblogaeth leol a'r diwydiant ymwelwyr oedd yn prysur ddatblygu. Sefydlodd gwehyddion yma ac acw yn y mân bentrefi ac erbyn 1835 yr oedd saith ffatri wlân yn gweithio ar yr ynys. Codwyd sawl melin wynt i falu'r grawn.

Amser cyffrous ydoedd i'r rhai yr oedd digwyddiadau o'r fath yn cyffwrdd eu bywydau ond i'r tlodion, oedd rhwng dwy stôl, doedd y chwyldro yma ddim yn berthnasol. Ychydig ohonynt hwy allai fanteisio ar gyfle i wella eu bywyd. Iddynt hwy, doedd dim ond gwaith, gwaith a mwy o waith a'r teimlad o genfigen yn mudferwi yn y meddwl a chasineb rhwng dwy garfan yn amlygu'i hun yn amlach. Chwiliai llawer am ddihangfa mewn diod feddwol gymharol rad a beiwyd hynny am rai o ffaeleddau'r cyfnod. Sefydlwyd cymdeithasau llwyrymwrthodol – y gyntaf yng Nghymru yn Llanfechell yn Nhachwedd 1834. Gwelwyd yr angen am fwy o heddlu a charchardai. Pasiwyd deddf seneddol yn 1839 – *Rural Constabulary Act (County Police Act-2&3 Vict.C93)* ac atodiad iddi yn 1840. Yn 1842 pasiwyd deddf – *Parish Constables Act (5&6 Vict.c.109)* yn rhoi hawl i gyflogi heddweision plwyf ar yr amod eu bod yn gymharol ifanc, iach, yn talu trethi lleol ac wedi cael eu cymeradwyo gan yr ynad heddwch. Yr oedd Carchar Biwmares yma'n barod, wedi ei godi yn 1829 ar gost o £6,500. Fe'i cynlluniwyd gan Hansom (a gynlluniodd adeiladau eraill ym Miwmares ac a ddaeth i amlygrwydd pellach gyda'r 'Hansom Cab') a Welch o Gaer Efrog ac fe'i hadeiladwyd gan William Thomas, adeiladwr o'r Traeth Coch. Ond erbyn 1844 yr oedd rhai llai megis 'rheinws' *(lock-up)* wedi eu codi yn Llannerch-y-medd, Amlwch a Phorthaethwy, a'r rhai yn Nghaergybi a Llangefni yn cael eu hymestyn. Datblygodd nifer o grwpiau i warchod eiddo, rhai a elwid yn *'vigilantes'* y dydd efallai, a chorff o Heddlu ym Môn i fod yn un yn gwasanaethu yr ynys i gyd, ac er i lawer o 'ddwylo blewog' fod wrthi'n brysur, cael eu dal fu hanes nifer fawr ohonynt.

Yn ôl adroddiadau'r wasg, nid yr hyn aeth ag Anne i Awstralia oedd ei throsedd gyntaf. Dwyn llefrith oedd y pechod hwnnw. Mae'n anodd deall pam iddi wneud y fath beth gan iddi fod, yn ôl pob tebyg, yn byw ar ddyddyn. Ei dadl hi oedd mai Ellen, ei chwaer, a'i cymhellodd i wneud y fath beth. Yr oedd yn ymddangos o flaen ei gwell am y trydydd tro pan gafodd ei dedfrydu i drawsgludiad, ac i un o'r achosion blaenorol, hyd yn oed, ei rhoi mewn carchar. Yr oedd hi felly, yn perthyn i'r 37% ar y *Garland Grove* oedd wedi wynebu cyhuddiad a chosb am o leiaf un drosedd arall. Os o gefndir o'r fath, anodd yw meddwl amdani felly fel un ddiniwed. Yr argraff sydd gan lawer, heddiw, yw iddi gael cam dybryd yn yr achos, ond mewn gwirionedd, onid oedd hi'n euog ac wedi mentro ei llaw yn rhy aml?

Ychydig o obaith oedd ganddi i gael cyfiawnder gan y rheithgor oedd i benderfynu ei thynged, gan mai byddigion oeddent ac yn perthyn i garfan wahanol iawn i Anne o fewn y gymdeithas.

Yr Anrhydeddus William Owen Stanley, AS (1802 – 1884)
Ganwyd yn Alderley, Sir Gaer. Yr oedd yn gyfreithiwr medrus ond yn un a dreuliai lawer o amser ar ei stadau tu allan i Fôn.

William Bulkeley Hughes, Yswain, AS (1797 – 1882)
Ganwyd ym Mhlas Coch a gallai olrhain ei deulu yn ôl i Llywarch ap Brân. Fe'i addysgwyd yn Ysgol Harrow a bu'n aelod seneddol dros fwrdeistrefi Caernarfon. Yr oedd yn berchennog 4,697 acer o dir ac yn gadeirydd Cwmni Anglesey Central Railway.

Richard T. Griffith, Ysw., Bodwyr Isaf
Uchel Siryf Môn yn 1850 a pherchennog 4,873 acer o dir.

Is-Lyngesydd Robert Lloyd, Plas Tregaean (ganwyd 24.03.1765)
Llongwr heb ei ail a wasanaethodd y Llynges Brydeinig mewn sawl brwydr ac fel capten sawl llong gan gynnwys yr *Hussar*, y *Plantagenet*, y *Mars*, y *Valiant*, y *Latona* – llong 38 gwn, yr *Hebe*, y *Robust*, y *Racoon* a'r *Swiftsure*.

Gwrthodwyd iddo, gan farnwr, ymuno â'r *Hussar* – llong newydd sbon ar 29 Mawrth, 1807 gan ei fod yn aelod o reithgor yn y Llys ym Miwmares.

Ar ddiwedd ei dymor ar y *Swiftsure* daeth adref o'r môr i fwynhau cymdeithas a chyfeddach y *'Beaumaris Book Society'*, a sefydlodd, ac a ailenwyd yn ddiweddarach y *'Royal Anglesey Yacht Club'*.

John Williams, Ysw., Treffos (1784 – 08.07.1876)
Cafodd ei addysg yn Eton a Rhydychen. Bu'n byw yng Nghaer a bu'n faer yno deirgwaith. Er hynny, yr oedd yn amlwg iawn ym mywyd cyhoeddus Ynys Môn a bu'n Gadeirydd y Brawdlys Chwarterol am 52 o flynyddoedd.

Henry Webster, Ysw., Vitriol (math o olew o geid drwy broses o ddyfrio haearn gwastraff ym Mynydd Parys).

James Treweek
Rhoddwyd iddo'r teitl o 'Gapten', oedd yn adlewyrchu ei statws cymdeithasol pan oedd yn byw yng Nghernyw ac yn berchen mwynglawdd tun. Daeth i Amlwch ym mis Hydref 1811 fel rheolwr y *Mona Mine Company*. Datblygodd yn ŵr busnes effeithiol a dod yn berchen iard longau ym Mhorth Amlwch. Bu farw yn 1851.

Stephen Roose
'Dyn dŵad' arall a fu'n gweithio fel asiant ym Mynydd Parys.

Beth wyddent hwy am fyw ar geiniogau? Gallai pob un ohonynt fforddio i daflu punnoedd ymaith heb ysgafnhau eu pwrs. *'They are like two nations that have no contact or sympathy. They know little of each other's habits, thoughts and feelings . . . '* [6] Dyna sut y disgrifiodd Benjamin Disraeli y ddwy garfan wahanol iawn oedd yn bodoli o fewn cymdeithas – Y Tlodion a'r Cyfoethog. Yr oedd y rhaniad yn syml. Os oeddech yn perthyn i'r 'Tlodion' yr oedd bywyd yn gallu bod yn boen ond os oedd gennych arian – yna gwyn eich byd. A phobl felly oedd yn dosbarthu cyfiawnder.

Yn 1842, y flwyddyn y trawsgludwyd Anne, cafwyd deddf seneddol i wahardd gwragedd, genethod ifanc a phlant dan dair ar ddeg oed rhag gweithio yn y pyllau glo. Ystyriwyd bod hon yn ddeddf oleuedig iawn gan ei bod yn rhoi terfyn ar yr arfer dychrynllyd o anfon plant mor ifanc a phump oed i weithio mewn lefelau glo oedd yn rhy gul i ddynion fynd iddynt. Yr oedd eraill yn treulio'u hamser yn gweithio'r gwyntyllau mewn shafftiau tra byddai'r gwragedd a'r genethod ifanc yn halio'r tramiau llawn. Chwarae teg yn wir i lywodraeth Robert Peel, ond feiddiai hi ddim mynd lawer pellach rhag gelyniaethu diwydianwyr pwysig y dydd.

Ond beth am Lanfechell? Yn ei llyfr *The History of the island of Mona*, mae Angharad Llwyd yn ei ddisgrifio fel pentref yng nghantref Talybolion, chwe milltir o Amlwch a 26 milltir o Fiwmares. Yn y Canol Oesoedd yr oedd iddo ddwy drefedigaeth – Caerdegog a Llawr y Llan. Ar wahan i olion o Oes y Cerrig, yr adeilad hynaf yn y pentref oedd yr eglwys a adeiladwyd yn y flwyddyn 630 a'i chysegru unai i Mechell verch Brychan (brenin Brycheiniog), gwraig Gynyr Varvdrwch neu i Fechyllas Echwys Gwyn Gohoyw ap Gloyw Gwlad Llydan (Llawysgrif Llansteffan 125).

Yn 1821 yr oedd y boblogaeth yn 1,035 ond wedi gostwng i 976 erbyn 1831. Treth y Tlodion oedd £97 3s 0d yn 1803 ond roedd yn £433 13s 0d yn 1831. Yr oedd bywyd cymdeithasol neu gyfeddach yn cael lle amlwg gyda'r Ŵylmabsant yn cael ei dathlu ar 15 Tachwedd a ffeiriau eraill yn cael eu cynnal ar 25 Chwefror, 5 Awst, 21 Medi, 5 a 26 Tachwedd. Erbyn 1849, dim ond dwy ffair flynyddol a gynhaliwyd ar 25 Tachwedd ac ar 26 Rhagfyr a'r farchnad wythnosol ar ddydd Gwener.

Eto, yn ôl Angharad Llwyd, yr oedd cyfoeth o fineralau yn y fro gyda Marmor Gwyrdd Mona *(Verd Antique)* yn cael ei gloddio ym Mona Mawr ac asbestos i'w gael yn lleol hefyd. Ychwanega Samuel Lewis, yn ei *Topographical Dictionary of Wales* fod sylffwr yn cael ei gloddio ym Machannan, ddwy filltir i'r dwyrain o Gefn Bach Du a bod steatite (sialc Ffrengig) i'w gael yn y plwyf hefyd.

Sefydlwyd yr ysgol gyntaf yn yr ardal gan Richard Wynne yn 1723, er mai dim ond pedwar bachgen oedd ar y gofrestr yn 1831. Gellir cadarnhau mai gwella wnaeth y sefyllfa. Yr oedd dylanwad y Methodistiaid yn eithaf cryf yn y pentref ers pan sefydlwyd yr ysgoldy cyntaf yn yr ardal yn Hafod Las yn 1815 gan Mr John Elias, mab y Parchedig John Elias. Tyfodd yr achos yn ddigon cryf i gynnal dosbarth/ysgol yn y pentref, bob nos Iau o 1823 ymlaen, yng ngweithdy William Parry'r saer ac Ysgol Sul foreol, a agorwyd am 6 a.m., yn yr Hen Siop. Datblygu wnaeth yr achos a gwelwyd y ffordd yn glir i adeiladu ysgoldy yn 1832 ar dir John Hughes, Lleugwy. Parhaodd yr ysgoldy fel man cyfarfod hyd 1850 pryd y'i tynnwyd i lawr er mwyn gwneud lle i addoldy Libanus. Yn 1883 ychwanegwyd ato drwy godi Ystafell Elwyn Hall, drwy garedigrwydd teulu Bodelwyn.

Yn yr un cyfnod, gwelwyd yr achos yn gafael a chryfhau ym Mynydd Mechell gyda'r Ysgol Sul yn cyfarfod yn nhŷ Thomas Evans, Hafod Las ac adeiladu'r capel bychan cyntaf yn 1817. Helaethwyd adeilad Jerusalem yn 1827 a 1852 ac erbyn 1886 yr oedd i'r eglwys bump blaenor, 106 o gymunwyr, 200 o wrandawyr a 174 aelod yn yr Ysgol Sul.

Yng nghanol y bedwaredd ganrif ar bymtheg yr oedd Llanfechell yn:

. . . plwyf amaethyddol ydyw y plwyf hwn. Cyfrifir ef yn un o'r plwyfi mwyaf yn Môn. Y mae ei arwynebedd yn dair mil o aceri; ei boblogaeth tua naw cant. Rhifedi y tai yn y plwyf ydyw 221. Y mae ynddo ddau bentref, sef Tregela a Llanfechell. Nid yw Mynydd Mechell yn bentref. Erbyn hyn y mae yn y plwyf liaws mawr o freeholders, pa rai sydd yn manteisio yn amlwg ar eu sefyllfa i wella eu tai a'u tyddynod, gan nad ydynt yn ofni notice to quit. Dyddorol yw y ffaith nad ydyw rhif y rhai a dderbyniant gymmhorth plwyfol ddim ond 32, allan o boblogaeth o tua 780. Rhaid fod y trigolion yn ddarbodus ac ymdrechgar ynglŷn â'u hamgylchiadau. Bydd yn y pentref ffeiriau rheolaidd er's cyn cof; cyrchir iddynt o filldiroedd o bellter, a chydnabyddir eu bod yn wir angenrheidiol i'r rhan hon o'r ynys. Bu, ers blynyddoedd, sôn am ymladdfeydd ffeiriau Llanfechell; ond erbyn heddyw, trwy drugaredd, y mae yr hen arferiad ffôl wedi darfod yn llwyr. Diau fod dylanwad yr Efengyl, yr Ysgol Sul, a'r cymdeithasau dirwestol, dan fendith y Nefoedd, wedi bod yn foddion i wella moesau y cymmydogaethau yn y cyfeiriad yna; ond etto y mae lle. Y mae crefftau cyffredin, angenrheidiol mewn gwlad amaethyddol, yn cael eu cynrychioli yn dda yn y plwyf, ac wedi bod felly bob amser. Ceir yma seiri coed a seiri meini, yn grefftwyr rhagorol, a phlastrwyr; a gofaint, dri neu bedwar, a'r rhai hyny yn grefftwyr rhagorol; a'r prawf ydyw, y bydd eu herydr yn ennill safleoedd cyntaf yn fynych yn yr ymdrechfeydd aredig yn y gwahanol gymmydogaethau. Ceir yma wneuthurwyr esgidiau a dilladau o'r radd flaenaf yn y wlad. Un dafarn sydd yn y pentref hwn. Ni cheir yn Ynys Môn yr hyn a geir ynglŷn â'r Crown Hotel; sef, y cyfleusderau conveyances a geir yma. Gwneir yma fasnach anhygoel yn y cyfeiriad hwn, bob dydd trwy y flwyddyn, ac yn enwedig yn ystod misoedd yr haf a'r hydref. Bydd anifail pwrpasol a cherbyd at bob galw, o'r briodas i'r angladd, a hyny am brisiau rhesymol . . . Y mae yn syndod mewn ardal mor wledig, fod masnach mor eang yn y cyfeiriad hwn. Rhifa ei feirch, o fawr hyd fychan o ddeutu ugain, ac y mae ei gerbydau o fawr i fan, yn ddi-rif bron; ond er cymmaint, yn fynych iawn byddant oll ar waith. Y mae addysg wedi cael lle mawr iawn yn hanes y plwyf yn lled foreu; ni wyddom yn sicr pa mor foreu. Yr oedd yma ysgol ddyddiol flynyddoedd

lawer cyn sefydlu yr Ysgolion Brytanaidd yn y wlad; yr oedd hi yma lawer iawn o flynyddoedd cyn bod sôn am yr un adeilad pwrpasol i'w chynnal. Bu am dymmor yn llofft yr hen siop, o dan ofal athrawes; yna bu am amser yn llofft y Barcdy. Yr athraw ydoedd Mr Andrew Brereton, Plas Llanfechell . . . Yn y flwyddyn 1834, symmudwyd yr ysgol o'r Barcdy i gapel y Methodistiaid, yr hon, erbyn hyn oedd dan ofal un John Owen, gŵr ieuangc o Borthaethwy . . . Cafodd yr Efengyl afael lled foreu yn y plwyf hwn, a bu rhai o ddiwygwyr Cymru yma yn pregethu . . . Y mae yn y plwyf bump o gapelydd gan yr Ymneilltuwyr . . .[7]*

Er iddi fod yn byw mewn 'nefoedd fach ar y ddaear', methu cadw'r llwybr cul wnaeth Anne a chafodd ei hun ar y llwybr llithrig i'r llys a'r llong i Awstralia. Dyma un na ddylanwadwyd arni gan John Elias.

Ond eto i gyd, a fedrir derbyn disgrifiad delfrydol o'r pentref o wybod fod amgylchiadau teuluoedd yn y cyfnod mor anodd? Oedd Robert Edwards, awdur y disgrifiad, yn gweld pethau fel yr hoffai iddynt fod? Anodd credu bod Llanfechell y *'nefoedd fach honno ar y ddaear'* tra oedd Amlwch, ond cwta chwe milltir i ffwrdd, yn: ' . . . *rows of cottages or hovels of the lowest description; . . . cottages are very small and crowded together without proper ventilation or drainage. The people are cramped together in the cottages in a manner injurious to health and decency.*[8]

Beirniadol iawn oedd sylwadau'r Arolygydd John James am ysgol y Llan hefyd. Wedi canmol yr hyn gynigwyd ar y cwricwlwm – darllen, ysgrifennu, rhifyddeg, gramadeg, daearyddiaeth, mordwyo, Ysgrythur a'r Catechism Eglwysig, aeth ymlaen i ddifrïo cyraeddiadau'r disgyblion oedd yn yr ysgol ar 12 Tachwedd:

. . . nine could read fairly . . . out of nine who were learning arithmetic, three could work sums in Propotion. Only one knew anything of Geography, and that was very little. There was no one who could repeat any of the Church Catechism owing to the objection of the parents. Three were able to answer Scripture questions well; others showed great ignorance of the subject. One said John the Baptist was the Son of God, and another that it was Adam and his family who went into the Ark. Thirty five scholars were above ten years of age. A few of the other children could understand a little English; but the majority were reading words which, to them had no meaning. The master speaks English fairly. He does not control the children; there was no discipline in his school . . .[9]

Gwyddom, wrth gwrs, am ffaeleddau'r adroddiadau hyn drwy Gymru ac nad oeddent yn adlewyrchiad teg o'r sefyllfa oherwydd diffyg dealltwriaeth yr arolygwyr o 'iaith y nefoedd'. Felly, rhaid chwilio am y llwybr canol rhwng atgofion Robert Edwards a'r hyn a geir yn y 'Llyfrau Gleision' i ddysgu am amgylchiadau byw y cyfnod.

Os edrychir yn fanwl ar yr hyn y cyhuddwyd Anne o'u dwyn, gellir dweud mai dwyn am ei bod mewn angen a wnaeth yn hytrach nag i deimlo unrhyw wefr. Er nad yw'r cofnodion yn dangos hynny, mae lle i gredu efallai mai plentyn siawns oedd Anne neu iddi gael ei mabwysiadu. Pam rhoi iddi'r cyfenw 'Williams alias Edwards' bob tro, ond nid i'w brawd na'i chwaer? Oedd yna ryw gyfrinach neu ddigwyddiad anffodus yn hanes ei mam? Oedd ei thad yn ei gorfodi i arddel yr enw 'Edwards' rhag iddi hi a'i mam anghofio y 'funud wan' honno? Oedd Anne druan yn cael ei thraed dani gartref oherwydd hynny? Efallai mai dyna pam y'i gorfodwyd i arddel crefft y rhai â 'dwylo blewog'. Fyddai dwyn peint o lefrith buwch mewn cae o eiddo Ebenezer Williams ddim yn hwyl. Bodloni angen oedd o mae'n siŵr ond, yn anffodus, dyma hefyd ddechrau'r daith i lawr y llwybr llithrig a ddiweddodd ym Miwmares a Van Diemen's Land.

1 *The Day Before Yesterday*, E. A. Williams (translated by G. Wynne Griffith), 1988
2 *Llên a Llafar Môn*, Gol. J. E. Caerwyn Williams, Cyngor Gwlad Môn, 1963
3 *Llên a Llafar Môn*, Gol. J. E. Caerwyn Williams, Cyngor Gwlad Môn, 1963
4 *John Williams, Brynsiencyn*, R. R. Hughes, Llyfrfa'r Cyfundeb Caernarfon 1929
5 *John Williams, Brynsiencyn*, R. R. Hughes, Llyfrfa'r Cyfundeb Caernarfon 1929
6 Benjamin Disraeli, Araith 1846.
7 *Adgofion am Llanfechell a'r Cylch*, Robert Edwards 1909
8 *Adroddiad ar Gyflwr Addysg yng Nghymru*, 1847
9 *Adroddiad ar Gyflwr Addysg yng Nghymru*, 1847

... Ynys yw yn llawn o saint ...
Tybed?

Yr oedd dedfryd o drawsgludiad yn un giaidd a chreulon iawn gan y gwyddai'r sawl a anfonwyd o Brydain nad oedd gobaith iddynt gael dod adref yn ôl. Er i'r euog fod, yn aml, yn gymeriadau anodd closio atynt, yr oedd ganddynt hwythau eu teimladau ac mae'n siŵr i sawl un fod yn fwy gonest wrth fynegi ei deimladau ar ôl derbyn y ddedfryd nac y bu cyn hynny na wedyn.

Yr oedd nifer helaeth o'r merched a drawsgludwyd yn rhai cymharol ifanc. Gwnaed penderfyniad gan Bwyllgor Beauchamp i anfon rhai ifanc ar y Llynges Gyntaf a chadwyd at y polisi hwnnw drwy gyfnod y trawsgludo. Dywed Deirdre Beddoe yn ddi-flewyn ar dafod: *'There is ample evidence to confirm that the main reason women were transported was for the sexual gratification of both free and convict males.'*[1] Yr oedd nifer fawr ohonynt yn: *'Women of this stamp are generally so bold and unblushing in crime ... they may be more justly compared to wild beasts than to women ...'*[2]. Ond yr oedd nifer ohonynt, hefyd, wedi eu taflu ar domen sbwriel y byd gan rai a ystyriai eu hunain o statws uwch. Pe bai unrhyw beth yn mynd ar goll neu'n cael ei ddwyn yn nhŷ 'byddigion', ran amlaf y gwas neu'r forwyn fyddai'n cael y bai ac er diffyg tystiolaeth bendant, hwy fyddai'n cael eu cyhuddo o ddwyn yn y Llys. Byddai ambell forwyn yn denu llygad ei meistr neu fab ei meistr ond pan fyddai hwnnw wedi blino arni neu rywun newydd yn cael ei sylw, rhaid fyddai cael gwared o'r hen gariad. Hawdd iawn, bryd hynny, fyddai ei chyhuddo o ddwyn.

Un o'r rhain oedd Anne Williams (alias Edwards), dwy ar bymtheg oed o'r Gegin Filwr, Llanfechell, Ynys Môn. Un ystadegyn bach ydyw ymysg llawer o ystadegau eraill a gofnodir yn Llangefni, Caernarfon, Llundain a Hobart. Ond heb ei hanes hi, ni fyddai hanes y trawsgludo yn llawn ac, felly, ni ellir ei hanwybyddu. Pan oedd Kay Daniels yn ysgrifennu am Maria Lord, un a drawsgludwyd i Van Diemen's Land ac a ddaeth yn ffigwr o bwysigrwydd hanesyddol yn ddiweddarach, mae'n pwysleisio cyn lleied o wybodaeth oedd ar gael am Maria: *'What we know about Maria Lord is so little that it would be rash to call it a biography. There are no diaries or personal letters. No text reveals her inner life or her daily experiences. There is no portrait or sketch. What is known about the first twenty years of her life fills half a page, and little more is known about the last thirty.'*[3] Yr oedd hynny yr un mor wir am Anne hefyd ond mae'r hyn sydd ar gael yn ei gwneud yn un o gymeriadau pwysig hanes Ynys Môn ac yn un o'r rhai blaenaf yn hanes lleol ardal Llanfechell. Ni ellir anghofio ychwaith i'w phrofiadau chwarae rhan bwysig yn hanes Awstralia ac iddi hi a'i hanes fod yn berthnasol i hanes cyfoes y wlad honno.

Beth bynnag yw'r farn am y rhai a drawsgludwyd, torri i fewn i dai, dwyn eiddo neu ddwyn bwyd oedd troseddau y rhelyw a drawsgludwyd o Fôn. Prin iawn oedd achosion o drais yn erbyn eu cyd-ddyn na'u cymydog. Y cwestiwn ddaw i'r meddwl yn syth, felly, yw pam hynny? Oedd y troseddau wedi eu cyflawni oherwydd 'angen' yn hytrach na'u bod efo 'dwylo blewog'? Yn y cyfnod pan oedd trawsgludo yn gosb gyffredin yr oedd rhigwm Seisnig yn dweud:

The law locks up the man or woman
Who steals the goose from off the common,
But leaves the greater villain loose
Who steals the common of the goose.[4]

ac efallai bod neges y pennill yr un mor wir am Fôn ag am unrhyw ran arall o Brydain ar y pryd. Nid rhigymwyr y cyfnod oedd yr unig rai oedd yn credu hynny. Meddai Syr George Arthur, Llywodraethwr Van Diemen's Land yn 1837: '*I think that many of those who have been sent out have been driven to committ the offence for which they have been sent out through want.*'[5] Os mai dyna'r gwir, fyddai aelodau'r rheithgor wedi cydnabod hynny? Pobl yn dioddef o newyn ac mewn anobaith oedd y mwyafrif a safodd o'u blaenau, bron yn orffwyll oherwydd prinder pethau sylfaenol bywyd. Nhw oedd y garfan o gymdeithas gyffredinol oedd raid cael gwared â hwy o Brydain. '*Out of sight, out of mind*' oedd polisi'r cyfnod ac felly'n union y bu drwy eu hanfon i bellafoedd byd.

1   *Welsh Convict Women*, Deirdre Beddow, Stewart Williams Publishers 1979
2   Llythyrwr di-enw yn *Cornhill Magazine* 1886 (Dyfynwyd yn *Welsh Convict Women*, Deirdre Beddow, Stewart Williams Publishers 1979)
3   *Convict Women*, Kay Daniels, Alen & Unwin 1998
4   Dyfynwyd yn *Convicts*, G. A. Wood, RAHSJP, 1922
5   *Convict Maids*, Deborah Oxley, Cambridge University Press 1966

Nos da i'r ynys dywell

(Lewis Glyn Cothi)

Ar un cyfnod yn y ddeunawfed ganrif, cariai dros 200 trosedd y gosb eithaf. Yr oedd rhai yn chwerthinllyd e.e. difrodi Pont Westminister, gwatwar un o Bensiynwyr Chelsea neu dduo'r wyneb yn y nos. Rhwng 1815 a 1840, chwyddodd y boblogaeth 70% a throseddu 300%. Credai rhai bryd hynny bod dosbarth o droseddwyr yn bodoli am y rheswm syml eu bod yn ddiog a llygredig ac wedi dewis byw bywydau anonest yn hytrach na mynd i weithio.

Yn anffodus, yr oedd gan Anne hanes o fod yn lladrones, neu yn iaith rhaglenni cyfres ar y teledu sy'n darlunio bywyd mewn gorsaf heddlu heddiw, yr oedd ganddi *'Previous form'*. Dyna pam ei bod o flaen ei gwell, yn y Seisus, am yr eilwaith mewn blwyddyn. Yn ôl y cofnod:

PRO ASSI/62/2: Began Saturday 20 March 1841.
Ann Edward 16 – Breaking into dwellinghouse of Hugh Hughes pa.
Llanfechell 21 February 4 Vic, Stole 5 knives value 2s, 5 forks value 2s, 1lb.
Soap value 6d, 2 prs. sugar tongs value 1s & other articles of clothes. Guilty.
Imprisoned – hard labour for 6 cal. months.

S.C.C.

Yr ail gofnod swyddogol:

PRO – ASSI/62/3 Assize Records Crown Books
Beaumaris – Began Saturday 21 March 1842
Ann Williams alias Ann Edward 17. Stealing 27 February 5 Victoria pa.
Llanfechell and feloniously breaking into the house of Thomas Hughes 2
cotton gowns value 5s & other articles of Ann Hughes. Guilty. Transported
10 years. Pleaded guilty to previous conviction.

S.C.C.

Yr oedd y drosedd o ddwyn llefrith wedi cael ei gofnodi yn erbyn ei henw yn 1840 hefyd.

Anglesey TO WIT	Humphrey Herbert Jones Esquire Of her Majesty's Justices of the Peace for the said County, to the Constable of the parish of *Llanfechell* in the said County, and to the Keeper of the Common Gaol at Beaumaris, in the said County, and to *John Jones* Special Constable, and to each and every of them.

These are to command you, the said Constable, in her Majesty's name, and forthwith to convey and deliver into the custody of the said Keeper of the said Common Gaol the body of *Ann Williams* charged this day before me the said Justice on the oath of *Ebenezer Williams* and others, for that she the said *Ann Williams* on the *Third* day of *August* in the year of our Lord One Thousand Eight Hundred and Forty at the parish of *Llanfechell* in the said County, did *milk a cow, the property of the said Ebenezer* Williams and did steal one pint of milk the property of *the said Ebenezer Williams, to wit at the parish aforesaid, within county aforesaid, which milk was the produce of the said cow of the said Ebenezer Williams.*

And you, the Keeper, are herby required to receive the said *Ann Williams* into your custody in the same Common Gaol and her there safely to keep until *she* shall be thence delivered by due course of Law. Herein fail not. Given under *my* Hand and Seal the *fourth* day of *September* in the year of our Lord One Thousand Eight Hundred and *forty.*

H Herebert Jones

A.M., Ll.

Saesneg oedd iaith y llys er mai Cymry uniaith Gymraeg oedd y rhan fwyaf o'r rhai ymddangosai yno! Pa obaith oedd ganddynt i gael chwarae teg?

Bras gyfieithiad o erthygl a ymddangosodd yn y *Caernarfon and Denbigh Herald*, 26 Mawrth, 1842

Cyrhaeddodd y Barnwr dysgedig (Mr Ustus Coltham) i Feaumaris o Gaernarfon am naw o'r gloch nos Sadwrn gan wneud ei ffordd yn syth i Neuadd y Sir.

Ar y diwrnod canlynol (Dydd Sul) aeth i'r gwasanaeth dwyfol yng Nghapel Mair i wrando ar bregeth addas yn cael ei thraddodi gan Y Parchedig Hugh Jones o Lanfaes, caplan y Siryf. Y testun oedd Epistol Paul yr Apostol at y Rhufeiniaid, Pennod 4, adnod 10:

'Pa fodd gan hynny y cyfrifwyd hi? Ai pan oedd yn yr enwaediad, ynteu yn y dienwaediad? Nid yn yr enwaediad, ond yn y dienwaediad.' Agorwyd y Llys am ddeg o'r gloch y bore ac wedi gweinyddu y defodau arferol, galwyd ar y gwŷr bonheddig canlynol ynghyd i ffurfio y Prif Reithgor:

Yr Anrhydeddus Charles C. Vivian, AS, Fforman y Rheithgor;
Yr Anrhydeddus William Owen Stanley, AS;

William Bulkeley Hughes, Yswain, AS;
Richard T. Griffith, Ysw.;
Charles Henry Evans, Ysw.;
Is-Lyngesydd Robert Lloyd;
John Williams, Ysw., Treffos;
John Price, Ysw., Cadnant;
Thomas Williams, Ysw., Glan yr Afon;
Robert Jones Hughes, Ysw.;
Edmund. E. Meyrick, Ysw., Beaumaris;
Llewelyn Jones, Ysw., Beaumaris;
Charles Stanhope Jones, Ysw., Tros yr Afon;
John Lloyd Price, Ysw.;
Henry Webster, Ysw., Vitriol;
Thomas Owen, Ysw., Plas Penmynydd;
Owen Roberts, Ysw., Bwlan;
Rice Roberts, Ysw., Plas Llangefni;
James Treweek, Ysw., Mona Lodge;
Stephen Roose, Ysw., Glan y Don;
John Paynter, Ysw., Maes y Llwyn.

Yn ei anerchiad i'r Rheithgor, llongyfarchodd y Barnwr hwy ar y nifer fechan o droseddau oedd wedi eu cyflawni yn yr ardal. Fodd bynnag, yr oedd un achos difrifol i'w ystyried a hwnnw o fath na ddylid ei annog ar unrhyw gyfrif. Cyfeiriai at achos Anne Williams, a gyhuddwyd o ddwyn dilladau o dŷ annedd. Nid oedd unrhyw amheuaeth ynglŷn â'r achos gan fod y dilladau wedi eu darganfod ar ei pherson. Ar ddiwedd yr anerchiad agoriadol, symudodd yr Arglwydd Vivian i'w sedd yn ymyl y Barnwr, ar y fainc.

Wedi i'r Rheithgor glywed y cyhuddiadau yn erbyn Anne Williams, alias Anne Edwards, o fod wedi torri i fewn i dŷ annedd, plediodd y carcharor yn ddieuog i gyhuddiad o fod wedi torri i fewn i dŷ annedd Thomas Hughes, Llanfechell, yn ffelonaidd, ar 27ain o Chwefror diwethaf a dwyn oddi yno ddwy ffrog gotwm, pâr o staes, ffunen boced sidan a sawl dilledyn arall.

Siaradodd Mr Townsend ar ran yr erlyniad.

Mynegodd Ann Hughes, chwaer yr erlynydd, o Dyddyn Cowarch, Llanfechell iddi adael y dilladau dan sylw, yn ddiogel, yn ei hystafell yn nhŷ ei brawd ar y bore Sul ac ar ei dychweliad o'r capel am hanner dydd, iddi ddarganfod y bar ar y ffenestr wedi ei symud a'r dillad ar goll. Credai y gallai unrhyw un a safai y tu allan gyrraedd at y ffenestr ac iddi hefyd weld Anne Williams yn gwisgo rhai o'r dillad (un ffrog) dan sylw. Ar y Dydd Mercher dilynol, aeth y tyst ynghyd â Margaret Owen ac Ellen Williams i gartref Anne Williams. Arhosodd y tyst y tu allan ac aeth y ddwy arall i fewn a dychwelyd efo'r ail ffrog oedd wedi ei dwyn, yn ogystal â'r staes a'r ffunen boced.

Dywedodd Thomas Hughes, brawd y tyst cyntaf, iddo yntau, yn fuan iawn ar ei hôl, fynd i'r capel ar y Sul, 27ain o Chwefror a gadael popeth yn ddiogel yn y tŷ gyda'r bar yn ei le ar y ffenestr a'r drws wedi ei gloi. Disgrifiodd nad yw'r ffenestr, ar yr ochr allanol, yn cyrraedd dim uwch na'i frest a'i bod hefyd yn ddigon mawr i unrhyw un allu dringo i fewn drwyddi. Pan ddychwelodd o'r capel, sylwodd fod y ffenestr yn led agored a'r bar wedi ei symud. Cyfaddefodd iddo fod yn gyfarwydd iawn â'r carcharor ond nad oedd wedi rhoi yr un dilledyn iddi.

Gwnaed datganiad gan y carcharor nad oedd hi wedi dwyn y dillad na mynd â hwy i'w chartref ar y Sadwrn diwethaf.

Cadarnhawyd tystiolaeth Ann Hughes gan Margaret Owen ac Ellen Williams fel y bu iddynt ddarganfod y dilladau ym mherchnogaeth y carcharor.

Gwelwyd Anne Williams yn cerdded tua thŷ Ann Hughes ar y Sul dan sylw am hanner awr wedi deg y bore. Yn ôl Jane Williams ac Elizabeth Owen yr oedd wedi gadael y llwybr troed ac yn cerdded ar draws y cae.

Dangoswyd y dilladau gan y cwnstabl, fel y'i derbyniodd gan Ann Hughes yng ngŵydd yr Ynad ac adnabu hithau hwynt fel ei heiddo.

Yn ei hamddiffyniad, mynegodd y carcharor fod y brawd (Thomas Hughes) wedi rhoi'r dillad iddi ar y nos Sadwrn ac iddi hithau eu cadw tan y Dydd Mercher. Cynigiodd Hughes, ffrog wlân merino iddi hefyd ond fe'i gwrthododd. Nid oedd tyst i hyn ond gwyddai llawer am arfer Hughes o alw arni. Yn anffodus, nid oedd tystion i gadarnhau hyn, chwaith. Plediodd y carcharor yn euog i drosedd flaenorol.

Dedfrydwyd y carcharor i'w thrawsgludo am ddeng mlynedd.[i]

Os oedd Thomas Hughes yn arfer 'galw' ar Anne, oedd hynny yn golygu bod rhyw fath o berthynas rhwng y ddau? Efallai iddi hi, fel merch ifanc gymharol ddiniwed, syrthio mewn cariad ag ef. Efallai bod cael tipyn o sylw ganddo yn gwneud i fyny am ddiffyg parch yn y cartref. Ar y llaw arall, mae'n bosibl i Thomas Hughes fod yn un â 'llygad am ferched' ac iddo fod yn 'galw' ar ambell un arall gan fod cofnod yng nghofnodion Eglwys y Plwyf yn awgrymu'n gryf mai un felly ydoedd:

1841.11 July
Richard (Bastard) son of Thomas Hughes, Tyddyn Cowarch
and
Anne Jones Mynydd (Concubine).
R. Edwards. Rector.

A.M., Ll.

O un ynys i'r llall

Yn ffodus, y mae ar gael hyd heddiw, yn Llundain a Hobart, Tasmania, gofnodion manwl iawn am y rhai a drawsgludwyd, e.e. ceir deunaw cyfrol yn y gyfres *'Home Office, Convict Collection'* yn Swyddfa Cofnodion y Cyhoedd yn Llundain. *'Exhaustive records are kept on all men dwelling within the colony, free and fettered, in a set of mighty volumes known as the Black Books.* (Ai dyma darddiad yr hen ddywediad a glywir pan fo rhywun wedi pechu rhywun arall ac nad oes maddeuant i'w gael: 'Mae ef/hi yn y *black books.'*) *These contain physical descriptions as well as a most detailed summary of moral progress.'*[1]

O fysg y rheini ceir manylion am garcharorion oedd ar y *Garland Grove*, adroddiad y llawfeddyg a'r capten.

Garland Grove – un o longau'r Llynges a ddefnyddiwyd i gludo carcharorion o Brydain i Awstralia

Pwysau – 483 tunnell
Addaswyd ei phwysau i 385 tunnell
Barc: gwain o gopr ar ei gwaelod yn 1838
    gwain o gopr a 'patent hair' ar ei gwaelod yn 1842
    gwain o ffelt a haearn melyn ar ei gwaelod yn 1845 a 1848
Arfogaeth – pedwar gwn
Adeiladwyd ar Ynys Wyth yn 1820
Adnewyddwyd yn 1842. Dec newydd yn 1848
Perchnogion –
    J. Grieg (1840-42)
    Edmunds & Co. (1843-47)
    J. Shepherd (1848-49)
Cofrestrwyd yn:
    Llundain (1840-42, 1848-49)
    Lerpwl (1843-47)
Archwilwyd:
    Llundain (1840-42/1848-49)
    Lerpwl (1843-47)

Mordeithiau: dan ofalaeth William B. Forward a'r Arolygwr Feddyg Robert Dobie

Cychwynnodd o Lundain ar 23 Mehefin, 1841 a chyrraedd Hobart ar 10 Hydref, 1841 wedi colli dim ond un o'r 180 carcharor, 13 o blant a thri teithiwr arall. Cytunodd J. Greig i gario'r cargo am £3 18 6d y dunnell.

Ar ei bwrdd am y fordaith a ddechreuodd ddiwedd Medi 1842 yr oedd 191 o ferched a 30 o blant.

Capteniaid eraill: Captain J. Robson (1843-47)
                      Captain Matheson (1848-49)

Mordeithiau eraill:

13 Hydref, 1844	Sydney – cyrraedd
29 Ionawr, 1845	Sydney – gadael
5 Ebrill, 1846	Sydney – cyrraedd
22 Rhagfyr, 1846	Hobart – cyrraedd
12 Ionawr, 1847	Sydney – cyrraedd
19 Mai, 1849	Melbourne – cyrraedd

Daeth diwedd y llong ym Mai 1851, pan aeth ar y creigiau ger Mauritius. Achubwyd y criw a'r llythyrau yr oedd yn eu cario.

Anfonwyd nifer o ferched o Gymru i Van Diemen's Land, y mwyafrif yn ferched sengl a rhai yn wragedd gweddw. Er clod iddynt, ychydig fu mewn helbul ar ôl cyrraedd yno a gorfod sefyll o flaen llys yn y 'wlad bell'. I'r rhai oedd yn cicio dros y tresi, yr oedd cosb sicr yn eu haros – fel ag y darganfyddodd Mari Thomas. Fe'i dedfrydwyd i saith mlynedd o drawsgludiad yn Llys Biwmares ym mis Mawrth 1823. Cyrhaeddodd Van Diemen's Land yn 1824 a'i rhoi i weithio mewn ffatri. Ceisiodd ddianc drwy dorri twll yn y wal ond fe gafodd ei dal, a'i chosbi drwy dorri ei gwallt, ei rhoi mewn cell ar fara a dŵr a'i gorfodi i wisgo coler o haearn am wythnos gyfan.

Ymysg y rhai o Gymru ar y *Garland Grove* yn 1842 yr oedd:

Anne Williams (alias Edwards) a ddedfrydwyd yn y Seisus ym Miwmares, Mawrth 1842 i ddeng mlynedd o drawsgludiad yn Van Diemen's Land.

O Sir Ddinbych:

Ellen Davies a ddedfrydwyd yn y Seisus, Gorffennaf 1842, i ddeng mlynedd o drawsgludiad yn Van Diemen's Land.

O Sir Forgannwg:

Sarah Davies a ddedfrydwyd yn y Seisus, Chwefror 1842, i ddeng mlynedd o drawsgludiad yn Van Diemen's Land.

Elizabeth Wheeler a ddedfrydwyd yn y Llys Chwarter, Mehefin 1842, i saith mlynedd o drawsgludiad yn Van Diemen's Land.

O Sir Fynwy:

Mary Williams a ddedfrydwyd yn y Seisus, Mawrth 1842, i ddeng mlynedd o drawsgludiad yn Van Diemen's Land.

Charity Hogg a ddedfrydwyd yn y Llys Chwarter, Gorffennaf 1842, i ddeng mlynedd o drawsgludiad yn Van Diemen's Land.

Ni allai neb fod yn unig ar fordaith i Awstralia yng nghanol y niferoedd oedd ar fwrdd y llong, ond fedrai neb deimlo'n gyfforddus ar fwrdd llong ar ei ffordd i ben draw'r byd ymysg y rhai a elwid yn gyffredin yn 'hwrs a lladron'. Sut teimlai Anne tybed? Mae'n eithaf posib iddi allu siarad Cymraeg â rhai o'i chyd-deithwyr. Roedd hynny'n fendith i ferch fel Anne gan nad oedd ei meistrolaeth o'r Saesneg yn gadarn o gwbl. Efallai bod Ellen Davies yn uniaith Gymraeg fel hithau a'u bod wedi ffurfio rhyw gymdeithas fach, glos o ogleddwyr Cymraeg ar fwrdd y llong. Gallai'r mwyafrif ohonynt ddarllen ac ysgrifennu a manteisio ar yr offer prin a gynigwyd iddynt. Ond sut gymeriad oedd Anne? Digon huawdl ar ei thomen ei hun yn Llanfechell, mae'n siwr. Ond oedd hi'n cymysgu? Oedd ganddi'r hunanhyder i sefyll ar ei thraed ei hun? Pwy a wyr. Yr oedd sawl un o'i chyd-deithwyr yn dod o'r un math o gefndir – un digon tlodaidd lle roedd angen gweithio'n galed i wella'i hun. Gweithio fel sgifi mewn tŷ mawr, morwyn fach, morwyn cegin, cogyddes, golchi dillad, morwyn fferm neu yn y parlwr godro oedd gwaith y rhan fwyaf o'r merched ar y *Garland Grove* ac Anne ei hun yn cael ei disgrifio fel '*Farm Servant – milk and wash*' am gyflog digon pitw o tua grôt i chwe cheiniog y dydd.

Pa ryfedd, felly, i sawl un droi at dor-cyfraith? Cafodd 57 eu dirwyo am ladrata ym mhlwyf Bodedern a Llannerch-y-medd ym mis Hydref 1845. Bu'n gyfnod o dlodi gwirioneddol, diweithdra a dirwasgiad gydag 'Oes Aur Mynydd Parys' yn prysur ddiflannu. Trowyd llawer oddi ar y tir ac aeth gwaith tymhorol yn brinnach. Caewyd tir comin a chollwyd tir pori a thir mawn. Codwyd rhenti. Yr oedd dwyn, mân-ladrata eiddo a thorri i mewn i dai ar gynnydd aruthrol a'r troseddwyr yn aml iawn yn dewis yr amser mwyaf cyfleus, fel y gwnaeth Anne, ar y Sul, pan fyddai'r perchnogion yn addoli.

Wedi derbyn y ddedfryd a heb fawr o gyfle i ffarwelio â'i hanwyliaid, aed ac Anne i Garchar Biwmares. Aethpwyd â hi o Fiwmares i Lundain a'i throsglwyddo i Garchar Millbank cyn ei throsglwyddo i'r *Garland Grove* yn Woolwich. Mae nodyn o fysg dogfennau'r Llys ym Miwmares yn dangos i'r gost fod yn £14 2s 0d.

Adeiladwyd Carchar Millbank, y mwyaf yn Ewrop pan agorwyd ef yn 1817, ar lan yr afon Tafwys gyferbyn â Vauxhall. Jeremy Bentham oedd y cynllunydd a lleolwyd yr adeilad yng nghanol saith acer o dir. Disgrifir y lle fel carchar oer, tywyll gyda rhwydwaith o goridorau yn ymestyn am dair milltir.

Yma y gwnaed y prosesu ar gyfer y 'Fordaith Fawr'. Fe'u derbyniwyd a chychwyn ar fywyd sefydliadol yn syth. Cofnodwyd enw pawb a thorrwyd eu gwalltiau yn gwta, ac er bod rhesymau meddygol/glanweithdra dros hynny, mae'n siŵr bod colli ei gwallt fel colli coron i unrhyw ferch, a hawdd credu fod bron pawb yn wrthwynebus i'r driniaeth. Wedi ymolchi mewn baddon o ddŵr llugoer, gwisgwyd pawb mewn gwisg unffurf o ffrog frown o frethyn gwrymiog, barclod glas a chapan mwslin. Er bod ymgais yma i fod yn ddyngarol tuag at anffodusion, yr oedd pawb yn sicr o ddioddef mewn rhyw ffordd neu'i gilydd, ond byddai'r rhai a drosglwyddwyd yn syth o'r carchar lleol i'r llong mewn gwell cyflwr o lawer. Pa effaith oedd y fath le yn ei gael ar ferched fel Anne – llawer ohonynt o gefndir gwledig? Yr oedd y newidiadau a wynebent a'r driniaeth a dderbynient yn ddigon i ddychryn unrhyw un ac efallai mai yr un oedd Anne Williams alias Edwards o Lanfechell, Ynys Môn a'r sawl y cyfeirir ati yn *Memorials of Millbank and Chapters in Prison History*, A. Griffiths, Llundain 1884: '*Repeated attempts at suicide, self mutilation and starvation, along with the use of "dreadful" language, led Ann Williams' demeanour to be described as showing "strongly of artifice" for which the doctor recommended punishment – a bread and water diet.*'

Ychydig wyddai neb am yr hunllef a'u hwynebai. Ychydig wybodaeth a roid. Pan symudwyd hwy o Millbank, deffrowyd y carcharorion am 3 o'r gloch y bore, sicrhawyd bod eu manylion yn gywir, rhoddwyd hualau am eu traed a'u cerdded ar draws y ffordd, i lawr grisiau i long dynnu ac ar draws planc wedyn i'r llong a'u cludai i Awstralia. Ar lanw isel, byddai Thomas Burgess a gŵr arall o'r enw Collins yn gwneud pont iddynt groesi. Efallai mai dyma'r caredigrwydd olaf a gâi ambell un yn eu bywyd. Byddai dirprwy reolwr y carchar a'r wardeniaid yn aros ar y llong fel yr hwyliai i lawr y Tafwys heibio i Gravesend ac i'r Nore, lle'r arhosai llong arall amdanynt ar gyfer y fordaith fawr a'r 'Blue Peter' yn cwhwfan o'r mast.

Byddai'n ras wedyn i hawlio lle yn y lle byw ac er prinned y gofod ar gael – fawr mwy na maint gwely mawr modern: saith troedfedd wrth chwe troedfedd – hwn fyddai eu cartref hyd nes cyrraedd Awstralia, os gellid galw y fath le yn gartref. Prin iawn oedd awyr iach a golau dydd yn y fath lefydd, ond yng nghanol drewdod cyrff ac aer stêl yr oedd pawb yn cael eu meithrin i barchu a chadw trefn ar eu cornel fach eu hunain a rhoddwyd gwobr o owns o de a dwy owns o siwgr i'r un glanaf bob dydd. Cyflwynwyd tegell i'r merched i wneud te a chwpan neu fwg i'w yfed – ond nid i'r dynion am ryw reswm. Caniatawyd hefyd ddim mwy na galwyn o ddŵr glân bob dydd yn ogystal ag owns o sudd lemon a siwgr, i'w llyncu efo'i gilydd yn syth neu ar gyfer eu cymysgu efo gwin – am resymau meddygol yn hytrach na dim arall! Er mwyn sicrhau rhaniad teg o bob dim, byddai'r meddyg ar fwrdd y llong a dau garcharor yn bresennol yn y seremoni ddyddiol a phan ychwanegwyd at y cyflenwad yma yn wythnosol.

Yr oedd swydd y llawfeddyg yn un bwysig iawn a'r modd y byddai ef yn gwneud ei ddyletswyddau oedd, i raddau helaeth, yn gyfrifol am gyflwr corfforol y rhai dan ei ofal erbyn y byddent wedi cyrraedd Awstralia. Nodwyd y dyletswyddau yn y swydd-ddisgrifiad manwl a roddid:

- cadw'r llong yn lân.
- cadw'r corff yn lân h.y. corff pob troseddwr, wrth gwrs.
- cadw tamprwydd o'r lle byw drwy oleuo stofiau a'u hongian o'r nenfwd fel eu bod yn sychu'r aer a chynhesu'r llefydd byw – yn enwedig pan oedd y llong yn hwylio.
- cadw'r toiledau, rhwng y deciau, yn lân a dewis dau ddyn i'w gwylio rhag i neb daflu sbwriel iddynt a blocio'r pibellau.
- sicrhau fod y ddau ddywededig yn arllwys dŵr drwy'r system ar ôl ei defnyddio.
- gofalu am y bath bocs ar y dec a sicrhau fod gratin yn cael ei roi ar y top pan fyddai rhywun yn ymolchi a bod rhywun ar gael i sgwrio eu cefn.
- cynnal arolwg dyddiol rhag twymyn, fflwcs a'r sgyrfi neu unrhyw salwch arall.
- pe bai unrhyw un yn sâl, trefnu i'w drosglwyddo, mor fuan ag oedd bosib, i'r ysbyty ar fwrdd y llong a threfnu i olchi eu dillad mewn dŵr berwedig.

Cadwai, hefyd, adroddiad manwl am bawb fyddai yn ymweld â'r ysbyty gan nodi ynddo y manylion perthnasol am eu cwynion a'r dull o'u trin. Yn nhudalennau olaf ei lyfr cofnodion, mae'n manylu ar gyflwr cyffredinol y cleifion gan nodi iddynt bron yn ddi-feth fod yn: ' . . . *broken down in constitution from having led very irregular lives, and all of them were pure vinegar drinkers when they could procure it; in addition to this their general habits were indolent and filthy . . . '*[2] Credai fod y rhan fwyaf o'r achosion o salwch wedi deillio o'r amgylchiadau cyfyng ar fwrdd y llong lle roedd pawb yn byw mor agos at y naill a'r llall, yn arbennig yn dilyn storm o wynt cryf a chwythodd am bedwar neu bum niwrnod ym mis Rhagfyr 1842. Yn ystod y storm, bu raid cau pob drws a hatch a chadw pawb o dan y dec nes bod awyr iach yn brin iawn. Y cyntaf o'r cleifion a gollwyd oedd Ann Stanley a fu farw o apoplecsi ar 1 Tachwedd, 1842: '6 *o'clock in the evening the ship was hove too, the body brought to the lee-gangway, placed on a grating in the presence of most of the women. And the ship's crew covered with the Union Jack for a pall, it was a solemn and affecting sight . . . when the body was launched into the deep, a universal shudder came over all present.*[3]

Y gobaith oedd cychwyn ar y daith ar 28 Medi, 1842 ond aeth y gwaith llwytho yn hwyr a bu raid talu £38.0.6d o furdreth = demurrage – y dreth a dalwyd i berchennog llong pan gymerai'r gwaith llwytho fwy o amser nag a gytunwyd yn wreiddiol. Cychwynnodd y *Garland Grove* ar ei hail daith i gario carcharorion, o Woolwich ar 2 Hydref, 1842 a chyrraedd Van Diemen's Land ar 20 Ionawr, 1843.

Roedd y gymwynaswraig Miss Lang Grindod ar y fordaith gyda Miss McLarene yn gwmni iddi. Eu pwrpas ar y daith oedd sefydlu a chynnal ysgol ddyddiol ar fwrdd y llong ond bu Miss McLarene, druan, yn sâl môr am y pythefnos cyntaf: '. . . *so school was delayed until she found her sea legs.*[4] Yr oeddynt yn gwneud y daith ar awgrym Elizabeth Fry oedd wedi treulio'i hoes yn brwydro i wella amgylchiadau carcharorion mewn carchardai – boed ym Mhrydain neu ar long i Awstralia. Trefn Miss Lang Grindod oedd dewis dwy athrawes o blith y merched ar fwrdd y llong a olygai y gallent weithio heb gymorth monitor. Byddai dwy o'r fath yn gymorth mawr yn y dosbarthiadau gan eu bod yn adnabod y disgyblion yn eithaf da ac yn ddigon huawdl a chryf i allu rheoli unrhyw gythrwfl a fyddai'n codi yn aml rhwng y carcharorion. Ar y *Garland Grove* dim ond saith o blant oedd yn ddigon hen i allu derbyn gwersi a dysgu eu llythrennau, ac erbyn diwedd y daith gallai pob un ddarllen yn eithaf hyderus. Yr oed pymtheg o fysg y merched yn hollol anllythrennog. Er hynny, yr oeddynt yn barod i ymdrechu a phrofi eu hunain yn '. . . *apt and diligent scholars.*' Ymysg disgyblion yr ysgol roedd gwraig 50 oed a ddysgodd ddarllen, ac eraill a brofodd yn ddysgwyr i'w canmol.

Yn nosbarth Miss Lang Grindod oedd Anne Williams. Gallai ddarllen ac ysgrifennu yn rhugl yn y Gymraeg ond nid oedd ganddi feistrolaeth o'r Saesneg o gwbl, er bod dogfennau'r Llys a'r carchar ym Miwmares yn dweud yn wahanol. Yr oed ei hunigrwydd oherwydd ei gwendid ieithyddol yn amlwg i'w hathrawes ond '. . . *Anne is dismissed in a single word – BAD.*'[5]

Dechreuai'r diwrnod dysgu am naw o'r gloch y bore i bawb ar wahân i'r rhai oedd yn glanhau a thacluso. Y wers gyntaf oedd Addysg Grefyddol dan ofal Miss McLarene. Yna, rhannwyd pawb i grwpiau o tua 30 a Miss Lang Grindod yn arwain y gwaith ysgrifennu. Wedi hynny, cyfnod o ddwy awr i ganolbwyntio ar y darllen. Ar ôl cinio, rhaid oedd sgwrio'r deciau dan arolygaeth Miss McLarene a gwae unrhyw un oedd yn llaesu dwylo. Ar yr un pryd, byddai Miss Lang Grindod yn arolygu yn yr ysbyty.

Yn hwyr y prynhawn, byddai pawb yn difyrru eu hunain yn gwau, gwnïo neu'n darllen yn uchel. I'r rhai oedd yn haeddu canmoliaeth, caniatawyd ymweliad â'r Llyfrgell i ddewis o fysg llyfrau ar deithio(!), crefydd, hanes a barddoniaeth ddwys. Ni chaniatawyd nofelau ysgafn, dramâu nac unrhyw lyfr arall anaddas.

Galwyd pawb i de am bump o'r gloch ac erbyn chwech disgwylid i'r merched i gyd fod yn ôl yn y lle byw o dan y dec ar gyfer eu cloi am y noson. Cynhaliwyd gwasanaeth byr cyn noswylio.

Gwella amgylchiadau'r merched oedd bwriad Miss Lang Grindod a Miss McLarene. Roedd yn waith anodd, yn arbennig felly i wragedd di-briod a digyflog nad oedd yn cael llawer o gefnogaeth. Unigolion yn gweithredu fel dyngarwyr oeddynt mewn cyfnod pan na welai'r awdurdodau'r angen i barchu bywyd dynol. Gwaredu problem oedd bwriad y Llywodraeth drwy ei hanwybyddu i raddau helaeth ym mhen pella'r byd ond heb, am funud, ystyried beth oedd yn wynebu'r rhai anffodus oedd yn cael eu halltudio yno yn eu henw. Cyn cyrraedd Awstralia, hyd yn oed, yr oedd peryglon i'w hwynebu a'u gorchfygu bob dydd.

The long voyage for women . . . was cramped and often wet conditions, close confinment in small prisons below deck and were exposed to a considerable risk disease. But one additional problem for female convicts was that of persistent sexual abuse. The danger of rape or enforced cohabitation was almost always present.[6]

I gadw meddyliau ambell un rhag diflasu a chrwydro i gynllunio gweithgareddau torcyfraith eraill ar ôl cyrraedd Awstralia, rhoddwyd gwaith ychwanegol i'r merched ar fwrdd y llong. Llwyddodd Elizabeth Fry i berswadio'r Llywodraeth mai da o beth fyddai i ddwylo'r gwragedd fod yn brysur yn gwneud cwrlid gwely clytwaith ar gyfer eu 'cartref newydd' neu i'w gwerthu am gini yr un mewn unrhyw un o'r porthladdoedd y galwyd ynddynt ar y daith. Caniatawyd offer gwnïo syml a chafwyd tameidiau o ddefnydd gan 'Manchester Houses' (cwmnïau defnydd ayyb) yn Llundain i'w rhannu rhwng y gwragedd. Rhannwyd y canlynol rhwng grŵp o gant o ferched:

Tameidiau o ddefnydd	200 pwys
Nifer o becynnau	100 mewn nifer
Pob pecyn i gynnwys:	
Siswrn	1 pâr
Edau: du a gwyn	Owns a hanner
Pinnau cymysg	1
Gwniadur	1
Botgin	1
Tâp	1 darn
Edau: brown a du	2 gengl
Carrai	2
Nodwyddau bychan	100
Nodwyddau mawr	8
Wstid du	1 owns
Bag gwaith	1
Bag i ddal defnyddiau	1[7]

Os oedd y gwaith yn cael ei gwblhau a'u hymddygiad yn barchus tra'r oeddent ar fwrdd y llong, caent gadw unrhyw elw a wnaed o werthu'u cynnyrch, ond gwae unrhyw un oedd wedi camymddwyn gan y byddai'r Llywodraethwr yn cael gwared â'r gwaith mewn unrhyw ffordd a ystyriai ef yn addas!

Yn ei atgofion am y fordaith, sonia Abraham Harvey, 2il Swyddog y *Garland Grove* fel yr ymunodd â'r llong ym mis Awst 1842. Disgrifia'r llong fel un debyg i rai a gariai deithwyr rhydd gyda dwy haen o welyau bob ochr wedi eu gosod allan fesul pedwar. Gellid cael mynediad i'r rhan yma o'r llong drwy ddau geuddrws – un bob pen i'r dec gyda drysau cryf fyddai'n cael eu cloi am 6 bob nos. I gael awyr iach i droelli drwy'r gwaelodion yr oedd '*scuttles*' a gwyntyllion wedi cael eu gosod yn ogystal â bachau i hongian stofiau yn llosgi golosg i gadw pob man yn sych. ' . . . *The crew consisting of 28, Officers, Men and Boys, besides the Commander. The ship being armed with 4 long 12lb guns, 3 doz. muskets and bayonets, boarding pike cutlasses, and blunderbusses, and the corresponding amount of shot and powder . . .* '[8] Ym mis Medi daeth y merched ar fwrdd y llong, y mwyafrif o Loegr a dim ond rhyw ddwsin o'r Alban a Chymru. Wrth aros cychwyn y fordaith, cafwyd sawl ymwelydd yn cynnwys y Fonesig Faeres o Lundain, nifer o weinidogion i geisio troi'r pechaduriaid at Dduw a llawer mwy o aelodau'u teuluoedd. Yr oedd y mwyafrif o'r rhieni a phlant yn wylo'n hidl ac yn cario anghenion ac anrhegion i'w câr a'u ceraint: ' . . . *I remember a little boy bringing his sister a stick of Spanish-Sig (cigar) and saying he knew she liked it when she had a cough . . .* '[9]

Cynhelid gwasanaeth bob Sul am hanner awr wedi deg am fod cred mai diffyg addysg mewn Ysgol Sul oedd y rheswm am bresenoldeb y rhan fwyaf ar y llong.

Cafwyd peilot – Mr Dean, i lywio'r llong tua Gravesend. Er gwaethaf gwynt cryf o'r gogledd-ddwyrain cafwyd tynfad i'w thynnu allan i'r môr mawr. Gollyngwyd y peilot ar ôl mynd heibio'r North Foreland. Erbyn canol dydd dydd Llun, 3 Hydref, 1842, yr oedd y *Garland Grove* wedi cyrraedd Ynys Wyth ac ymhen diwrnod: ' . . . *took our departure from the land of Old England . . .*'[10] Hwyliwyd ymlaen drwy'r Iwerydd, heibio nifer o ynysoedd nepell o arfordir Affrica gan ddilyn y gwyntoedd i gyffiniau Trinidad a De America, cyn croesi'r cyhydedd ac ymlaen heibio Penrhyn Gobaith Da ac i Gefnfor India. Gwelwyd tir Awstralia ar 8 Ionawr, 1843 a thir Van Diemen's Land ar y 12fed. Angorwyd ym mhorthladd Hobart am 9 o'r gloch y nos ar yr 20fed a chlywyd bonllefau gan y merched fel arwydd o ddiolchgarwch iddynt gyrraedd tir sych yn ddiogel!

Beth sy'n rhyfeddol yw fod cymaint wedi cyrraedd Awstralia a Van Diemen's Land yn fyw ac yn iach, a'r hyn sy'n fwy rhyfeddol fyth yw iddynt oresgyn yr holl broblemau eraill a'u hwynebai wedi cyrraedd yno. Syndod yw i gymaint allu adeiladu bywyd newydd yno, a hawdd deall pam fod cymaint o'u disgynyddion heddiw yn ymfalchïo ynddynt.

Ond beth am Anne a gweddill y rhai oedd ar y *Garland Grove* wedi iddynt gyrraedd pen y daith? Beth ddigwyddodd iddynt? Yr oedd dau ddewis, os dewis hefyd yn wynebu pob un o'r 24,960 o ferched a drawsgludwyd yno. Un ai yr oeddynt yn mynd i weithio mewn ffatri neu yn cael eu dewis neu eu prynu i weithio fel morwyn neu slaf gan un o'r gwladychwyr rhydd. Er iddynt fod yn euog o dorcyfraith yng ngwlad eu mebyd, yr oedd gan bob un ohonynt nifer o rinweddau fyddai yn gaffaeliad iddynt mewn gwlad newydd, a'r rheini'n rhai na ellid eu hanwybyddu gan unrhyw ddarpar gyflogwr neu ŵr:

a) Oed – yr oedd mwyafrif helaeth o'r merched a anfonwyd allan yn ifanc.

b) Y gallu i addasu i fywyd newydd mewn gwlad wahanol.

c) Iechyd – os oeddynt wedi goroesi'r fordaith a chyrraedd VDL yn iach, mae'n rhaid eu bod yn ddigon tebol.

ch) Llythrennedd a Rhifedd – yr oedd nifer yn gallu darllen a 'sgwennu ac wedi gloywi eu sgiliau tra'r oeddent ar fwrdd y *Garland Grove*. Rhaid cofio hefyd fod Anne yn ddwyieithog.

d) Yr oedd gan sawl un sgiliau gwaith arbenigol neu brofiad o waith caled fel morynion yn barod a byddai'r sgiliau hynny yn rhai gwerthfawr i sefydlu tŷ a chartref.

dd) Yr oedd y mwyafrif helaeth wedi profi bywyd teuluol sefydlog cyn eu trawsgludo a byddai'r egwyddor o sefydlogrwydd yn un bwysig mewn amgylchiadau anodd.

e) Moesoldeb. Er gwaethaf yr hyn ddywedwyd am y mwyafrif o'r merched, yr oeddynt, ar y cyfan, o gymeriad a chefndir parchus.

Bu'r sgiliau uchod yn fanteisiol iawn i'r rhai y bu'n rhaid iddynt ysgwyddo'r cyfrifoldeb o sefydlu gwladwriaeth newydd. Eu gobaith wedyn oedd cael, ymhen amser, docyn rhyddid.

Yn ôl neges gan Miss Elizabeth Lang Grindod, a anfonwyd at Elizabeth Fry: ' . . . ship arrived safely after an agreeable voyage of 110 days.'[11] Nodwyd ei chyrhaeddiad yn yr *Hobart Town Courier*, *Hobart Town Advertiser* a'r *Colonial Times*. Manylwyd ar y llong a'r daith:

'Garland Grove arrived Hobart 20 January 1843.
Ship 385 ton, 4 guns.
Master: William B. Forward.
Surgeon Superintendent: William Bland.
Embarked with 191 female convicts, 1 relanded,
8 deaths, 182 landed at Hobart.

(Yr oedd 30 o blant ar y llong hefyd a'r cyfartaledd marwolaethau drwy gydol y fordaith oedd 1 i bob 24 – oedd yn dderbyniol iawn gan yr awdurdodau ar y pryd!)

---

1   Pamffled Archifdy Tasmania + The Fatal Shore, R. J. Hughes
2   *Journal of His Majesty's Ship Garland Grove*, William Bland 1842/43, Yr Archif Genedlaethol
3   *Journal of His Majesty's Ship Garland Grove*, William Bland 1842/43, Yr Archif Genedlaethol
4   *Welsh Convict Women*, Deirdre Beddoe, Stewart Williams Publishers 1979
5   *Welsh Convict Women*, Deirdre Beddoe, Stewart Williams Publishers 1979
6   *Welsh Convict Women*, Deirdre Beddoe, Stewart Williams Publishers 1979
7   *Welsh Convict Women*, Deirdre Beddoe, Stewart Williams Publishers 1979
8   *Reminiscences of the Voyage of the 'Garland Grove 2'*, Abraham Harvey
9   *Reminiscences of the Voyage of the 'Garland Grove 2,*. Abraham Harvey
10 *Australians from Wales*, Lewis Lloyd, Gwynedd Archives and Museums Service 1988
11 *Welsh Convict Women*, Deirdre Beddoe, Stewart Williams Publishers 1979

Van Diemen's Land – pen draw'r byd

Pen draw'r byd! I bob pwrpas dyna lle mae Tasmania, gan na ellir mynd fawr ymhellach cyn gorfod troi'n ôl! Digon gwamal o Dasmania ac Awstralia fu'r Saeson, ac eraill, erioed ac o'r bobl fu'n byw yno:

> ' . . . it must be so pretty with all the dear little kangaroos flying about.'
>
> Oscar Wilde[1]

> 'Cusins is a very nice fellow, certainly; no-one would ever guess he was born in Australia.'
>
> George Bernard Shaw[2]

> 'Well?' Ros asked when I returned.
> 'Tasmania? It looks like a large golf course,' I said.
> She waited for more but there wasn't any. That was it . . . '
>
> Howard Jacobson[3]

> 'Rogues and gentlemen, convicts and governors, sly-groggers and quakers, bushrangers and parsons all have their place in this . . . State . . . '
>
> Siaced lwch Historic Tasmania Sketchbook[4]

> ' . . . some rotten island at the very ends of the earth called Van Diemen's Land, or Tasmania, as it couldn't make up its mind. This was a mad fool of a place, by the sounds of it, all gaols and bluemen and worse, being nowhere any sensible fellow would ventue near.'
>
> Matthew Kneale[5]

Er yr holl wneud hwyl am eu pennau, gallai'r Tasmaniaid dalu'r pwyth yn ôl – ond ddim mor aml â hynny, yn anffodus:

> ' . . . just some heinous pissers from across the sea . . . '.
>
> Matthew Kneale, English Passengers, t. 95[6]

Dyna farn y brodorion lleol am y Saeson!

Beth sydd raid ei gofio, wrth gwrs, yw mai'r Saeson a anfonodd y criw cyntaf o ddynion gwyn yno ac mai o'r gwreiddyn hwnnw y datblygodd yr Awstralia fodern. Mae'r hyn a ddywedodd Goronwy Owen am America yr un mor wir am Awstralia: ' . . . lladron a hiliogaeth lladron ydyw'r rhan fwyaf ohonynt . . . ' ond dylid cofio hefyd: ' . . . amongst the convicts was much courage, strength and loyalty.'[7]

Mae'r ffeithiau moel yn nodi mai Tasmania, gynt Van Diemen's Land (1642-1856), oedd y dalaith leiaf yng Nghymanwlad Awstralia (ymunodd yn 1901). Un y cant o arwynebedd Awstralia yw'r ynys. Y brif ddinas yw Hobart sydd wedi ei lleoli ar lechweddau mynydd Wellington ac yn edrych i lawr ar aber afon Derwent. Hobart yw ail ddinas hynaf Awstralia, a sefydlwyd yn 1804.

Ail brif dref Tasmania yw Launceston wedi ei lleoli ar ochr ogleddol yr ynys ar lannau aber yr afon Tamar. Trefi mawr eraill yw Devonport, Burnie ac Ulverstone. Ymysg diwydiannau'r ynys ceir ffermio defaid a chynhyrchu gwlân o ddefaid Merino, cynhyrchu llaeth yn y gogledd, tyfu afalau a ffrwythau eraill yn y de, coedwigaeth gan gynnwys gwneud papur a dodrefn, a mineralau fel haearn, tun, glo, copr, aur ac arian.

Datblygodd carfan o'r boblogaeth gynnar yn herwyr (bushrangers) gan ddwyn defaid ac o'r herwydd aeth Tasmania yn 'ardal wyllt' tu hwnt. Ni wnaed pethau yn haws gan fod troseddwyr yn cael eu hanfon yno wrth y miloedd. Roedd y llongau yn eu cludo'n syth o Loegr i Van Diemen's Land o 1812 ymlaen hyd at 1853. Yn ystod yr hanner can mlynedd rhwng 1803 a 1853 anfonwyd tua 67,000 o garcharorion yno gan gynnwys 14,492 o Wyddelod. Y llong gyntaf i gyrraedd o Loegr – ar 19 Hydref, 1812 – oedd yr *Indefatigable*, ac erbyn 1820 yr oedd tua 2,500 o garcharorion yn y drefedigaeth. Erbyn diwedd 1833 yr oedd y nifer wedi codi i 14,900, yn cynnwys 1,864 o ferched. Rhwng 1826 a 1840 anfonwyd o leiaf 19 llong o garcharorion o Van Diemen's Land i Ynys Norfolk. Yn 1842 anfonwyd y nifer mwyaf erioed mewn un flwyddyn, sef 5,329, ac erbyn 1845 yr oedd mwy na 30,000 o droseddwyr yno – hynny yw 47% o'r boblogaeth gyfan! Yn 1853 daeth terfyn ar drawsgludo gan agor y ffordd i Dasmania reoli ei hun.

Cythryblus iawn fu hanes Tasmania yn y bedwaredd ganrif ar bymtheg am ei fod yn ymwneud cymaint â thrawsgludo. *'In convict lore, Van Diemen's Land always had the worst reputation for severity . . . It was the very quintessence of punishment.'*[8] Syrthiodd y bai am hyn ar y dechrau, ar ysgwyddau Thomas Davey (1758-1823) fu'n rheolwr Van Diemen's Land o 1813 hyd at 1816. Bu un o'i ddilynwyr, William Sorell, yn gyfrifol am sefydlu: ' *. . . a Place of Ultra Banishment and Punishment'*[9] ym mhorthladd Macquarie, a'r sefydliad yma, yn fwy na dim, fu'n gyfrifol am roi enw drwg i'r ynys.

Ni fu gwelliant o gwbl dan reolaeth rhai fel George Arthur, ac yn y cyfnod yma dirywiodd amgylchiadau byw y brodorion lleol *(aboriginies)* a chrebachodd eu nifer o 150 yn 1835 i 54 yn 1843 – y flwyddyn y cyrhaeddodd Anne. Bu'r gŵr olaf, William Lanney, farw yn 1869 a'i wraig, Trucanini ar 8 Mai, 1876. Yr oedd ei bywyd hi wedi bod yn hunllefus. Cafodd ei mam ei thrywanu a'i llofruddio, herwgipiwyd ei chwaer, boddwyd ei darpar ŵr ac fe'i treisiwyd hithau gan y llofruddion. Yn dilyn ei marwolaeth, yn 73 oed, cadwyd ei sgerbwd a'i arddangos yn gyhoeddus yn Hobart. Ymhen can mlynedd wedi ei marwolaeth, yn 1976, gwireddwyd ei breuddwyd a thaenwyd ei llwch ar y môr ger Ynys Bruny.

Yn syth ar ôl cyrraedd, anfonwyd pawb i weithio. Yr hyn a wynebai'r mwyafrif helaeth o'r merched oedd gweithio mewn ffatri. Adeiladwyd pedair yn Van Diemen's Land: Ffatri'r Cascade, Stryd Degraves, Hobart yn 1829; Ffatri George Town yn 1829 – caewyd hon yn dilyn agor Ffatri Launceston yn 1832, a Ffatri Ferched Ross yn 1847. Yno yr arhosent i ddisgwyl cael eu symud at fewnfudwyr i weithio fel morwyn fach. Os oedd gan y merched blant, rhaid oedd cael caniatâd y cyflogwr newydd i'r plentyn fyw ar y safle neu fe'u rhoddwyd mewn cartref i blant amddifad! Sefydlwyd y *Tasmanian Ladies Society for the Reformation of Female Prisoners* yn 1841 gan y Foneddiges Jane Franklin, gwraig Syr John (y prif weithredwr), ond ni welwyd llawer o welliant yn amgylchiadau'r merched a geisiwyd eu cynorthwyo.

Dosbarthwyd y merched a weithiai yn barhaol yn y ffatrioedd i dri chategori:

1. Y rhai nad oedd neb am eu cymryd.
2. Y rhai oedd wedi eu dychwelyd i'r awdurdodau am eu bod yn anhydrin ac yn 'haeddu' cosb ychwanegol.
3. Merched beichiog.

Manylion o lyfr cofnod Ffatri Ferched Launceston

1829

Gwisg o ddefnydd bras, rhad, i gynnwys ffrog gotwm, pais, siaced, barclod a boned wellt gyffredin.
Carcharor Lefel 1 i wisgo'r wisg heb unrhyw farc gwahaniaethol; Carcharor Lefel 2 i'w hadnabod oddi wrth farc mawr melyn 'C' ar fraich chwith y siaced; Carcharor Lefel 3 i'w hadnabod oddi wrth farc melyn mawr 'C' ar gefn y siaced, un arall ar y fraich chwith ac un ar gefn y bais.
Caniatwyd dillad glân yn wythnosol:
2 farclod, 2 gap, 2 ffunen boced a 2 bâr o sanau.
Deiet i gynnwys:
Brecwast – ¼ pwys o fara a pheint o griwel
Cinio a Swper – ¼ pwys o fara a pheint o gawl
(Cawl – 25 pwys o gig i bob 100 chwart o gawl yn cynnwys llysiau a phys

44

neu farlys [pa un bynnag oedd ar gael] i'w dewychu.)

1837
Sefydliad hollol ddi-werth! Roedd y carcharorion i gyd yn ddirmygus iawn o'r sefydliad. Roedd yn rhaid gwneud rhywbeth gan fod y trefedigaethwyr yn gyfrifol am holl wariant yr heddlu.

Medi 1842
Rheolwr – Robert Pearson
Dan ddedfryd drefedigaethol – 6
Caethiwed 'solitary' – 10
Dedfryd ynadol – 97
Yn magu plant – 10
Yn golchi – 9
Morynion, cogyddion ayyb – 4
Yn yr ysbyty – 13
Wedi eu trwyddedu i weithio yn Launceston – 63
Wedi eu trwyddedu i weithio yn y wlad – 0
Cyfanswm – 212

Plant dan 1 mlwydd oed – 36
Plant dan 2 flwydd oed – 4
Plant dan 3 blwydd oed – 0
Plant hyn na 2 flwydd oed – 1
Cyfanswm – 41

Cynhaliwyd cwest ddydd Mawrth yn y Court House, ar gorff plentyn oedd wedi marw yn y ffatri y bore hwnnw.

Mynegodd y nyrs, oedd yn gyfrifol am y plentyn, iddi fod mewn iechyd da hyd at ddydd Sul, pryd y dechreuodd besychu, fel nifer eraill o blant yn y ffatri.

Profwyd gan Dr Maddox mai achos y farwolaeth oedd llid yr ysgyfaint a gafodd yn sgîl y gwynt deheuol oedd wedi bod yn chwythu ers rhai dyddiau.

Yr oedd hyd at 30 o blant yn dioddef o *catarrh* yn y ffatri nos Sadwrn. Mynegodd tystion eraill a alwyd, i bawb gael gofal rheolaidd ac i'r meddyginiaethau arferol gael eu defnyddio.

Dedfryd: marwolaeth drwy ymweliad dwyfol.

Hydref 1842. Terfysg!
Cafwyd sawl achos o derfysg ymysg merched y ffatri yn ddiweddar. Ddydd Iau diwethaf, gwrthryfelodd pob un a chymryd meddiant o'r sefydliad. Chlywyd erioed gymaint o sŵn – ddim hyd yn oed wrth draed

Twr Babel! Rhoddwyd y lle dan warchae ond er iddynt fod yn llwgu, yr oeddynt yr un mor benderfynol 24 awr yn ddiweddarach. Ceisiodd sawl cwnstabl fynd i mewn i'r ystafell ble roeddynt ond bu'n rhaid cilio. Yn y pen draw galwyd ar 30 o garcharorion o'r barics ynghyd â chwnstabliaid i chwalu'r wal i gael mynediad i ble roedd y merched. Cafwyd ymladdfa ffyrnig ond trechwyd y merched. Aethpwyd a saith o'r arweinwyr i'r carchar yn Hobart yn y llong *Lady Franklin*.

Fore Mercher, dechreuodd terfysg arall a deallir i Dr Maddox gael ei anafu.

Chwefror 1843 – Tân!

Brawychwyd trigolion y Ffatri ddydd Sadwrn o glywed bloedd 'Tân!' Ymddengys bod rhai o'r merched ifanc wedi ceisio mygu'r llau o'r matresi ac i'r rheini fynd ar dân. Damweiniol hollol oedd y digwyddiad ond gallai pethau fod yn llawer gwaeth pe bai'r dillad gwely o ddefnydd mwy ymfflamychol.

Cynhaliwyd ymchwiliad i'r mater ddydd Llun a Mawrth gan y Capten Gardener a dedfrydwyd y rhai oedd yn euog i 14 diwrnod o garchar.

Mai 1844 – Terfysg!

Ar y Llun diwethaf, baricediodd sawl un o ferched y Ffatri eu hunain yn un o ystafelloedd yr adeilad a gwrthod mynediad i'r cwnstabliaid a anfonwyd yno. Yn dilyn cais i gael mynediad, mynegodd rhai o'r gwragedd y byddai'n well ganddynt gynnig eu hunain fel llosg-offrwm yn yr adeilad.

Rhuthrodd y cwnstabliaid i mewn a charcharu'r 'Amasoniaid' ymhellach.

Anfonwyd tair o'r rhai mwyaf blaengar i Hobart er mwyn i'r Rheolwr Cyffredinol ddelio â hwy.

Gorffennaf 1844 – Priodasau

Pan ganiateir i unrhyw un o ferched y Ffatri briodi maent yn derbyn rhyddid i grwydro o amgylch y dref! Mae nifer o'r priodasau yn amheus a'r drefn angen ei diwygio.

10

Yr oedd llawer o'r merched yn priodi mor fuan ag y gallent ar ôl cyrraedd neu, a bod yn onest, mor fuan ag y caent eu dewis yn wraig gan un o'r dynion. Byddent yn sefyll mewn rhes tu allan i'r ffatri, fel mewn ffair gyflogi, a phan fyddai un ohonynt wedi tynnu sylw gŵr arbennig, byddai hwnnw yn gollwng sgarff neu hances boced wrth ei thraed. Pe codai'r ferch yr hances, trefnid priodas mor fuan ag oedd bosibl. Os oedd y ferch wedi gadael gŵr gartref ym Mhrydain yr oedd rhaid iddynt aros am saith mlynedd cyn y caniateid iddynt briodi, ond un ffordd o oresgyn problem felly oedd byw gyda'i gilydd yn ddi-briod. Yr oedd y llywodraeth yn cefnogi priodi fel un ffordd o gyfanheddu mewn gwlad ddieithr, ond yn edrych i lawr eu trwynau ar 'fyw talu'.

1   *The Picture of Dorian Grey*, Oscar Wilde

2   *Major Barbara*, George Bernard Shaw, 1905

3   *In the Land of Oz*, Howard Jacobson, Penguin 1987

4   *Historic Tasmania Sketchbook*, M. Angus, F.Mather, A. Phillips, P.A. Smith, J. Woodberry, Rigby 1977

5   *English Passengers*, Matthew Kneale, Penguin 2002

6   *English Passengers*, Matthew Kneale, Penguin 2002

7   *Shadow over Tasmania – The Whole story of the convicts*, Coultman Smith, 1967

8   *The Fatal Shore*, Robert Hughes, Pan 1988

9   *The Fatal Shore*, Robert Hughes, Pan 1988

10   *Launceston Advertiser*

Diwedd y daith

Ni chafodd Anne Williams, yn anffodus, fawr o air da gan neb erioed. Beth, tybed, fu ei diwedd? Difyr fyddai gallu cloi ei hanes a dweud iddi ddychwelyd yn ôl i Fôn a threulio blynyddoedd olaf ei hoes efo'i theulu yn ei hen gartref. Ond nid felly y bu.

Am ymddygiad helbulus, treuliodd y deng mlynedd llawn o'i thrawsgludiad yn gaeth, i raddau helaeth, cyn ei rhyddhau yn 1853 (yn ôl *Herald Môn*, 19 Medi, 1987). Yn ôl yr adroddiad, bu Anne mewn trafferthion drwy gydol ei hamser yn Nhasmania a chafodd hi, yn wahanol i nifer helaeth o'r rhai a drawsgludwyd, ddim cynnig ei rhyddid ynghynt.

509	Williams Ann
	Alias Edwards
	Garland Grove/2/Jany. 20th 1843

509   Williams Ann
Alias Edwards
Garland Grove/2/Jany. 20th 1843
Anglesey Assizes 19 March 1842   10
Transported for Stealing from a dwelling house. Gaol report very Indifft. Convictd. Twice Single. Stated this offence. Stealing from a Dwelling House. for a Cloak and drefs. 6 mos. Single Ch? Surgeons report 13ae

~ ~ ~ ~ ~

June 27/43. Griffiths/Absent without leave. Admond. & retd. to Governor/G.15/
August 3/43. Mrs Solomon/Disobedt. of Orders & Indolence 2 Months Rec. 6 wash Tub./ V.G **Dec?/43** Married/Misconduct in taking Spirits into the House 6 days Solity Conft. /P. S./P. P. H. 3rd Claps. **Feby.1st/44/** Sloarie?/Absent a day & night without leave 3 Months hard labour H. of Correction recommd. that she deported to the 2nd Claps Cont. Vide? I.C. Lises? **Feb 17/44. July 9/44.** Puncheous/Absconding 3 months hard labour H. of Cor./J.28. 13. 13/F.Hobart Vide R G Lee?
12/7/1111 Oct 3/45/Hudson Misconduct in having a Man Imply. with her on her Masters Premises 3/moth. hd. Labour.
A./G./Tm. Vide A. G. ? 10/10/45 Delivered of an Illegitimate **29th Dec 1845**
May 12/46 F.H. of C./Improper conduct & Insolence recomd. to be reduced to the Ist Class**/A. G. Approx. Vide L.G bect?. **May 15/46**
June 3/46 F. H. of C./Refed. disrespectful. Conduct to the Medl. Officer 3 mons. hd. labour added to her ?/A.G./Appd. Factory. Vide bect. 27/6/46

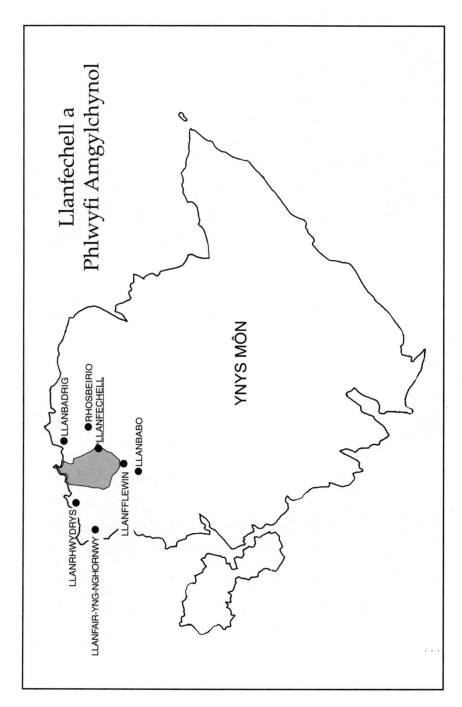

Llanfechell a
Phlwyfi Amgylchynol

YNYS MÔN

LLANBADRIG
RHOSBEIRIO
LLANFECHELL
LLANBABO
LLANFFLEWIN
LLANRHWYDRYS
LLANFAIR-YNG-NGHORNWY

Gweddillion y Gegin Filwr, Llanfechell, Ynys Môn

Tyddyn Cowarch

Carchar Biwmares

Llys Biwmares

To Move for payment to the Undersheriffs of the

Sum of £ 14..2..0 for expenses incurred in

conveying Ann Williams from the County Gaol

on board the Garland Grove Convict Ship

at Woolwich and for preparing Bond for her

safe delivery

OF THE

CRIMINAL PRISONERS

CONFINED IN THE COMMON GAOL OF BEAUMARIS, IN AND FOR THE

COUNTY OF ANGLESEY,

WHO ARE TO TAKE THEIR TRIAL AT THE PRESENT ASSIZES AND GENERAL GAOL DELIVERY, HELD AND
KEPT AT BEAUMARIS, IN AND FOR THE SAID COUNTY, BEFORE

THE HONOURABLE SIR JOHN WILLIAMS, KNIGHT,

ONE OF THE JUSTICES OF OUR LADY THE QUEEN,

On Saturday, the 20th day of March,

*In the Fourth year of the Reign of our Sovereign Lady Victoria, by the Grace of God, of
the united Kingdom of Great Britain and Ireland, Queen Defender
of the Faith, and in the year of our Lord 1841.*

1. EDWARD JONES, Aged 18 Years, Committed on the thirtieth day of January last. by the Reverend William
    Thomas, Clerk, charged on the Oath of Richard Davies, and others, with having on the 2nd day of February,
    1841, at Llandrygarn, in the said County of Anglesey, feloniously stolen, taken, and Carried away, three Coats
    of the value of one Pound; three Waistcoats of the value of ten Shillings; three Trowsers of the value of ten
    Shillings, and two Silk Handkerchiefs of the value of ten Shillings, of the goods and Chattels of the said Richard
    Davies. The prisoner can neither read nor write.

2. GRIFFITH DAVID, late of the Parish of Aberffraw, in the said County, Labourer, Aged 45 Years, Committed
    on the twelfth day of February last, by William Jones, Gentleman, Coroner, of the said County, charged by the
    Coroner's Inquisition, with the Manslaughter of Owen Hughes, at the Parish of Aberffraw aforesaid. The
    prisoner can neither read nor write.

3. ANN EDWARD, Singlewoman, Aged 16 Years, Committed on the twenty second day of February last, by
    Humphrey Herbert Jones, Esquire. charged with having on Saturday, the 20th of February last, between
    the hours of Seven and Eight o'Clock at night, burglariously broken, and entered into the dwelling house of
    one Hugh Hughes, of the Parish of Llanfechell in the said County, and with having then and there feloniously
    and burglariously stolen five knives and five forks, of the value of five Shillings; one pound and a half of Soap,
    of the value of Six-pence; two pair of Metal Sugar-Tongs, of the value of one Shilling; one Calico bag, of the
    value of one Shilling; one Cloth Mantle, of the value of twenty Shillings; two pieces of Bacon, of the value
    of one Shilling; one Shirt, of the value of one Shilling; one Bombazine Gown, of the value of two Shillings;
    one Shawl, of the value of two Shillings; one pair of worsted, and one pair of woollen Stockings; one pair of
    Shoes, of the value of one Shilling; and one Cap of the value of one Shilling, of the goods and Chattels of the
    said Hugh Hughes. The prisoner can neither read nor write.

THE FOLLOWING PRISONERS ARE IN CUSTODY FOR WANT OF SURETIES TO KEEP THE PEACE.

1. ELIZABETH OWEN, late of the Poor-house, in the Parish of Llangefni, in the said County, aged 27 years, com-
    mitted on the 19th day of February last, by William Bulkeley Hughes, Esq. The prisoner can neither read nor write.

2. ELLEN EDWARDS, of the Parish of Beaumaris, in the Borough of Beaumaris, in the said County, Singlemoman,
    aged 45 years, committed on the 20th day of February last, by Charles Stanhope Jones, Esquire, Mayor. The
    prisoner can neither read nor write.

3. ELIZABETH DAVIES, of the Parish and Borough of Beaumaris aforesaid, Single-woman, aged 21 years, com-
    mitted on the 5th day of March last, by the said Charles Stanhope Jones. The prisoner can neither read nor write.

THE FOLLOWING PRISONERS WERE TRIED AND CONVICTED AT THE LAST ASSIZES AND GENERAL GAOL
DELIVERY FOR THE SAID COUNTY, BUT NO SENTENCE WAS PASSED UPON THEM.

53

Anglesey,
to wit.

*Michs̄ Quarter Sessions, 18_40_*

At a GENERAL QUARTER SESSIONS

of the Peace, of our Sovereign Lady the Queen, held at *Beaumaris*, in and for the said County, on Tuesday, the *Twentieth* Day of *October* in the *fourth* Year of the Reign of our Sovereign LADY VICTORIA, now QUEEN of Great Britain, and so forth, and in the Year of our Lord, One thousand Eight hundred and *forty*

Before *John Williams Esqr Chairman*
William Bulkeley Hughes Esq^t
Norris M. Goddard Esqr and others

Justices of our said Lady the Queen, assigned to keep the Peace in the said County, and also to hear and determine divers Felonies, Trespasses, and other Misdemeanors, in the said County committed, and so forth.

The Queen on the Prosecution of Ebenezer Williams

against

Anne Williams

Whereas the above Anne Williams was indicted and tried at the above Quarter Session for larceny, and thereof convicted. It is Ordered that the said Anne Williams for such offence be imprisoned in the House of Correction of the said County for the space of Seven Days. And the Clerk of the Peace

By the Court

W. O. Poole C. P.

NAME, Ann Williams (1) No.
alias Ann Edwards

Trade .... Sarah Servant. Wife & Bar

Height (without shoes) 5½

Age .... 19 years

Complexion ...... Fair

Head .... Round

Hair .... Lt Brown

Whiskers .... Round

Visage .... Round

Forehead .... Low

Eyebrows .... Lt Brown

Eyes .... Hazel

Nose .... Long

Mouth .... Medium mouth

Chin .... Round

Native Place ..... North Wales

Remarks .... Face broke little/slightly/small cut on right hand. lips mole on cheek Left/

55

Bolard ar lan yr afon Tafwys yn nodi man cychwyn mordaith Anne Williams i VDL

June 16/46 F. H. of Correction. Disobedience of Order 14 days Soliy.
Conf./T C./**24 February 47** Long of a neglect of duty 10 days So. Cf.
Meg/16-2-47

Hobday

Free Certificate to April 1852[1]

Priododd Anne Williams (o'r *Garland Grove*) a George West (gŵr rhydd –
ar y pryd), y ddau yn byw yn ardal Morven, ym mis Rhagfyr 1847. Efallai
bod George wedi llwyddo i wneud gwraig onest o Anne o'r diwedd.
Erbyn yr 1850au, yr oedd cymuned Gymreig wedi ei sefydlu ger
Launceston o amgylch Chwarel Lechi Bangor a honno wedi denu llawer
o Gymry o'r gogledd (Cymru) i'r ardal. Tybed aeth Anne yno? Glywodd
hi rywun yno yn siarad Cymraeg? Efallai. Ond pwy a ŵyr?

Wedi derbyn ei thocyn rhyddid a setlo i lawr i fagu'i theulu, aros yno
wnaeth Anne a George a byw yn ardal Morven, (yn agos i ddinas
Launceston heddiw.)

Erbyn heddiw, Launceston yw'r ail ddinas fwyaf yn Nhasmania gyda
phoblogaeth o 67,800. Saif lle mae'r afonydd Esk (De a Gogledd) yn
cyfarfod i ffurfio'r afon Tamar, sy'n llifo am 40 milltir arall cyn cyrraedd
Culfor Bass. Hi hefyd yw prifddinas y rhan ogleddol o'r ynys ac yn
ganolfan drafnidiaeth lle mae traffyrdd gorllewin a dwyrain Tamar,
traffordd Tasman a thraffordd y Canoldir yn cyfarfod. Yma y lleolwyd
pencadlys system reilffordd Tasmania ac mae i'r ddinas gyswllt awyr
uniongychol â Hobart a Melbourne. Heb fod ymhell, mae porthladd fferi
i'r tir mawr – Devonport. Ar y tir ffrwythlon ger yr arfordir ceir amaethu,
tyfu ffrwythau, gwlân a grawn. Allforion eraill o'r ardal yw alwminiwm,
coed a thecstiliau. Mae'r diwydiannau lleol yn cynnwys gwaith
peirianyddol, adeiladu ceir, melinau blawd a bragdai.

Yn y cyfnod pan oedd Anne yn magu ei theulu yr oedd rhyw
ddeuoliaeth ryfedd yn perthyn i Awstralia. Ar un llaw, yr oedd llawer o
dir gwyllt *(outback)* y cyfandir yn ddiarth iawn. Dyma'r cyfnod pryd yr
oedd rhai fel Burke a Wills yn ceisio agor llwybr rhwng Melbourne yn y
de a Gwlff Carpentaria yn y gogledd. Llwyddodd y criw i gwblhau'r
rhan gyntaf o'r daith ond buont farw ar eu ffordd yn ôl yn 1861.

Ar y llaw arall, yr oedd Van Diemen's Land neu Tasmania, fel y'i
gelwid bellach, wedi gweld bwrlwm mewnfudo – yn 1842 daeth 2,446 o
fewnfudwyr rhydd i'r ynys, yna'n raddol arafu; yn 1843 dim ond 26 o
fewnfudwyr rhydd ddaeth i'r ynys ac erbyn 1844 un yn unig a fentrodd
yno. Yr oedd y prysurdeb a arferai fod yn nodwedd o'r drefedigaeth

fyrlymus hon, ac a fu yn un o'r 'gemau yn y goron' i'r 'Cyfandir Coll', yn newid. Dioddefodd yr economi leol am fod trawsgludo carcharorion i New South Wales wedi dod i ben, ond parhawyd a'r arfer o'u hanfon i Van Diemen's Land. Yn 1839, anfonwyd llai na 1,500 o garcharorion yno ond erbyn 1842 anfonwyd dros 5,300. Cynyddu oedd y niferoedd o flwyddyn i flwyddyn. Yn y cyfnod yma yn Launceston, yr oedd 264 tŷ gwag am fod eu perchnogion wedi symud i 'dir mawr' Awstralia i chwilio am fywyd newydd am yr eildro. Yn 1845, gadawodd 1,628 o fewnfudwyr rhydd Van Diemen's Land – 5% o'r boblogaeth.

Er hynny, yr oedd i'r ynys ei chymeriad ei hun ac mae llawer o adeiladau hynaf Launceston sy'n dal i sefyll yn dyst i hynny. Roedd sawl un ohonynt efallai yn gyfarwydd i Anne, er enghraifft Eglwys Sant Ioan; Barics Paterson; Ysgol Sul Fethodistaidd Stryd Paterson; Tŷ Franklin; Tŷ Entally; Yr Hen Warws; Melin Ritchie – ger Rhaeadr y Ceunant – heb fod ymhell o Orsaf Bŵer Hydro Electrig gyntaf y byd a adeiladwyd yn 1845; Tŷ Swydd Stafford; Tŷ Overton; Eglwys y Drindod Sanctaidd – yn y cytundeb i adeiladu'r eglwys hon, gwelwyd penderfyniad trigolion Launceston i ddileu trawsgludo gan iddynt nodi mai dim ond dynion 'rhydd' oedd i weithio arni ac na ddylid defnyddio unrhyw ddefnydd wedi ei wneud gan garcharor yn ei gwneuthuriad.

Hwyliodd y llong garcharorion olaf – y *St Vincent* – o Spithead ar 17 Ionawr, 1853 a chyrraedd ben ei thaith ar 26 Mai, 1853. Pan ddaeth trawsgludo i ben yn 1853, comisiynwyd darlun o'r dathlu. Tybed oedd Anne a'i theulu yn y dathlu? Ydy nhw i'w gweld yn y darlun? Beth oedd yn mynd drwy'i meddwl y diwrnod hwnnw?

Beth ddaeth o'r merched eraill oedd efo Anne ar y *Garland Grove* tybed? Priodi, magu teulu a chadw cartref mewn gwahanol rannau o Awstralia wnaeth y mwyafrif ac mae eu hanes yn rhan o hanes bro gwahanol gymunedau taleithiau'r wlad.

A beth am deulu Anne a George? Mae disgynyddion iddynt yn dal i fyw ar yr ynys ac yn gwybod yr hanes. Ydy nhw yn ymfalchïo yn eu hynafiaid? Ydynt, siŵr iawn. Ydy nhw'n gwybod am Ynys Môn a Llanfechell? Ydynt, bellach ond fuo nhw erioed yno. Fasa nhw yn fodlon dod, petai rhywun yn eu gwahodd? Hoffwn feddwl y byddent.

A dyna fyddai diweddglo hapus a chau pen y mwdwl go iawn.

---

[1] Archifdy Launceston

Ail-agor genau'r sach

Yn ôl Lewis Lloyd, yr oedd tynged Anne wedi ei selio yn y llys: ' . . . *Anne Williams alias Edwards admitted to a previous conviction for felony and her fate was sealed. She later sailed to Van Diemen's Land aboard the transport* Garland Grove *to serve her sentence. She was freed, it seems, in 1853 and the rest of her story is unknown.'*[1] Wedi bron i flwyddyn o holi a stilio yma ac acw, yn lleol ym Môn, yn genedlaethol drwy gyfrwng Radio Cymru ac ar draws y byd drwy gyfrwng y We Fyd Eang drwy osod gwybodaeth ar safle ar y Rhyngrwyd, ddaeth dim mwy o wybodaeth am Anne i'r fei. Felly bodlonwyd ar adael i'r ffeiliau hel llwch yng nghefn y cwpwrdd a chytuno efo'r awdur o Feirion.

Ond fe ddaw gobaith pan ymddengys y mae'r nos dduaf, a heb rybudd daeth neges e-bost o Awstralia! Holi oedd Denise ac Olivia West am wybodaeth am Anne Williams (alias Edwards) er mwyn ychwanegu gwybodaeth i'w gynnwys ar eu coeden deulu. Yng ngeiriau Denise: ' . . . *I read your query about Anne Williams and as my husband is related to her husband George Robert Couth West I was wondering what information you had found out and maybe we could then share what we know . . . '* Atebwyd eu cais ar unwaith gan roddi peth gwybodaeth a gofyn nifer o gwestiynau iddynt hwy eu hateb ac aed ati, unwaith eto, i dyrchio yn nogfennau'r Archidy a syrffio'r We Fyd Eang.

Bu'r Rhyngrwyd a'r llythyrwyr yn gweithio fel slecs gan anfon gwybodaeth yn ôl ac ymlaen i Awstralia. Rhoddodd y teulu West eu cyfeiriad fel: . . . *Mowbray, Launceston, Tasmania.* Dyma'r union ardal y bu Anne, a'i gŵr George, yn byw ynddi, a'u teulu, 160 a mwy o flynyddoedd yn ddiweddarach, yn dal i fyw yno. Yn y neges e-bost swmpus gyntaf, mynegwyd bod Anne a George yn rhieni i chwech o blant, ac roedd yn amlwg fod bachgen wedi ei eni ymhob cenhedlaeth gan fod y teulu yn parhau i arddel y cyfenw West.

Do, fe fu George yn ddylanwad da arni ond nid cyn iddi gael cyfnod o gicio tros y dresi a chael ei dal efo alcohol yn ei meddiant! Cafodd ei dal efo dyn yn ei hystafell hefyd – er na ddywedir os mai efo George oedd hi chwaith! Fe'i dedfrydwyd i ragor o lafur caled. Oherwydd hyn, ynghyd â'i chamymddwyn cyson a chael plentyn siawns yn 1846, bu raid iddi weithio'i chyfnod o ddeng mlynedd yn llawn yn ardal Morven, Tasmania cyn cael pardwn yn 1852. Priododd George yn 1847 ac aros yn yr ardal i fagu ei theulu.

Sut un oedd Anne? Dyna gwestiwn a gyfyd ei ben o hyd ac o hyd ac anodd yw dod i farn bendant. Fel y ceid un ffaith yn rhoi'r argraff o un drafferthus, ceid un arall gan orfodi rhywun i ail feddwl, e.e. os oedd hi wedi cicio dros y tresi a chael un os nad dau o blant cyn priodi, yr oedd hi, hefyd, wedi rhoi yr enwau 'Mary Ann' ar ei merched, i gadw ei henw ei hun ac enw ei mam yn fyw. Fedrai hi ddim bod yn un rhy galon galed, felly, yn na fedrai?

Ac yntau, George? Sut un oedd o? Digon mentrus, os cymerodd ferch fel Anne yn wraig iddo. Efallai'n wir iddo gael tipyn o law galed ond mae'n rhaid ei fod yn un o benderfyniad eithaf cadarn – a dyn felly oedd ei angen ar Anne a'i theulu o chwech o blant. Llaw gadarn – a chalon feddal, efallai. Diddorol fyddai gallu adeiladu darlun seicolegol o George a chael ar ddeall beth a'i denodd at ferch fel Anne.

Prin iawn yw'r wybodaeth sydd ar gael am George, ond drwy gyfrwng y Rhyngrwyd a'r system gofnodi manylion fanwl a fabwysiadwyd yn VDL/Tasmania llwyddwyd i ddysgu ychydig amdano yntau. Gellir dweud, efallai, mai 'tebyg at ei debyg' oedd hi pan ddenwyd y ddau at ei gilydd gan mai am yr un rhesymau y cafodd George ag Anne eu hunain yn VDL. Un o Gaeredin oedd George, wedi ei brentisio fel saer troliau ond a gafodd ei ddal, efo'i frawd John a chriw o fechgyn, yn dwyn y 'bocs tlodion' *(poor box)* ac o siop felysion yn Aberdeen. Fe'i cosbwyd â dedfryd o drawsgludo am bedair blynedd ar ddeg: ' . . . *for the further good of a bad character'*[2] gan yr erlynydd Alex Miller, a hwyliodd i Van Diemen's Land ar y *Moffat 2* ar 7 Mai, 1836. Wedi i'w gyfnod o drawsgludiad ddod i ben, newidiodd ei enw o Coutts i Couth West, a dyna'r enw (West) y mae'r teulu yn ei arddel hyd heddiw. O astudio'r goeden deulu, gwelir ei fod wedi magu nythiad o blant gydag Anne, ac iddynt hwythau yn eu tro briodi a phlanta a chyfoethogi ffrwyth eu coeden deulu efo canghennau yn ymestyn led-led cyfandir Awstralia ac mor bell â'r Eidal gydag ychwanegiadau brodorol o Dasmania ei hun. Bu ambell aelod o'r teulu yn llafurio yn weithgar ar hyd eu hoes; un arall (William Robert Couth West) yn yrrwr y trên teithwyr cyntaf rhwng Launceston a Hobart. Fel nad oedd hynny yn ddigon o enwogrwydd, ef, ar un cyfnod, oedd pencampwr bocsio pwysau trwm Tasmania. Gwrthododd droi'n broffesiynol gan ddal ati i weithio ar y lein a phan fu raid iddo ymddeol oherwydd cyrraedd oed pensiwn aeth ati i fagu merlod trotian gan ddod yn bencampwr yn y maes hwnnw hefyd!

Priododd John Arthur West, ŵyr i George a Anne gydag Alma Lily Brown o Ynys Cape Barron ac wrth wneud hynny daeth a gwaed brodorol i'r teulu. Priododd mab i John Arthur a Lily (Marcus Sydney West) gydag Ida Armstrong oedd hefyd o dras brodorol. Treuliodd brawd iddo (Norman Vincent West) gyfnod ym Mhrydain yn ystod yr Ail Ryfel Byd ond bu farw'n ifanc yn 21 oed ar 12 Hydref, 1940. Priododd brawd arall iddo (George Robert West) deirgwaith! Priododd chwaer iddynt (Ella Jane West) bedair gwaith!!

Y mae sawl cangen i'r goeden deulu gan i Anne a George gael chwech o blant a George, eu plentyn ieuengaf ond un gael saith. Cafodd John Arthur West, trydydd plentyn George Robert Couth West, ddeuddeg o blant ac Arthur Ernest West (pedwerydd plentyn a mab cyntaf John Arthur) un ar ddeg. Does gan David, mab ieuengaf Arthur Ernest West ddim ond dau blentyn – mab a merch – ond mae'r ddau yn cario cyfenw'r teulu a phwy a ŵyr sawl disgynnydd a welir eto yn yr unfed ganrif ar hugain? Bellach, mae'r teulu mewn cysylltiad ag Ynys Môn ac yn graddol ddysgu am gefndir un o'u hen neiniau. Efallai y gellir cau pen y mwdwl yn iawn pan ddônt– o'r diwedd – i'r wlad lle y magwyd Anne West gynt Williams (alias) Edwards.

Un rhybudd a roddir i bawb sy'n olrhain hanes teulu a hwnnw yw – 'Mae'n waith di-ddiwedd!' Profwyd hynny yn ddiweddar yn achos Anne. Nid yw'r gwaith wedi'i orffen ac mewn gwirionedd rhaid mynd yn ôl i'r dechrau unwaith eto gan i e-bostiau eraill gael eu derbyn o ardal Melbourne, Victoria, Awstralia ac o Wynyard, Tasmania yn holi am wybodaeth am Anne.

O Felbourne, gŵr y teulu – Jeff Rae – oedd yn holi ar ran ei wraig am wybodaeth o Fôn. Ydynt, maent yn perthyn i Anne ond heb wybod rhyw lawer amdani gan iddynt fod yn ddisgynyddion i un o'r nifer fawr o blant fu ymhob cenhedlaeth o'r teulu,a heb adnabod eu cefndryd a'u cyfnitherod heb sôn am wybod pwy oedd eu cyfyrdyr! Ar daith o Felbourne i briodas deuluol yn ardal Launceston, gwelsant y cyfeiriad gwreiddiol am Anne ar y Rhyngrwyd a mentro cysylltu ag Ynys Môn. Mae Claire Mortimer, o Warrnambool, Melbourne, a chysylltiadau teuluol ag Anne hefyd ac yn awyddus i gael manylion o Gymru.

Pwy ŵyr beth ddeil y dyfodol? Tybed oes yna ragor o Awstraliaid a'u gwreiddiau yn Llanfechell, Ynys Mon? Dim ond amser a ddengys.

---

[1] *Australians from Wales*, Lewis Lloyd, Gwynedd Archives and Museums Service 1988

[2] Archif Tsamania

Atodiadau

1. Coeden deulu Anne

William Edwards = **Mary Williams**
Y Gegin Filwr, Llanfechell
(1776 – ?)   (1786 – ?)
(65 mlwydd oed yn 1841)   (55 mlwydd oed yn 1841)

Yr ail o dri o blant (2 ferch, 1 mab) –
Anne Williams alias Edwards = **George Robert Couth West**
(14.4.1822 – 14.1.1890)   (1814 – 1871)
(Priodi – 30.11.1847/8)

Un o Gaeredin oedd **George**, wedi ei brentisio fel saer troliau ond a gafodd ei ddal, efo'i frawd John a chriw o fechgyn, yn dwyn y 'bocs tlodion' *(poor box)* ac o siop felysion yn Aberdeen. Fe'i cosbwyd â dedfryd o drawsgludo am bedair blynedd ar ddeg: ' . . . *for the further good of a bad character'*, gan yr erlynydd Alex Miller, a hwyliodd ar y *Moffat 2* ar 1 Ebrill, 1836. Wedi i'w gyfnod o drawsgludiad ddod i ben, newidiodd ei enw o Coutts i Couth West.

Y pumed allan o bump o blant (3 mab, 2 ferch)
George Robert Couth West = Mary Jane McEnnulty
(10.8.1859 – 19.12.1940)   (19.12.1859 – 10.9.1927)

Marwolaeth

WEST – Ar 19 Rhagfyr, 1940, yng nghartref ei fab yng nghyfraith, Mr W. Begent 19 Cimitere Street, bu farw George R. C. West, gweddw y diweddar Mary Jane West, a thad cariadus Arthur, Kate, Mary a Gladys, yn ei 82 blwyddyn. Dim galaru.

Angladd preifat ym Mynwent Carr Villa am 11 o'r gloch dydd Gwener.

Examiner, December, 1940

TEYRNGED
Mr G. R. C. West, Launceston

Bu farw, yn Launceston, ddydd Iau, Mr George R. C. West, yr olaf o dri mab Mr G. R. West, o Gernyw, Lloegr. Yr oedd Mr West, 81 oed, yn gynringyll yn Company B y Launceston Volunteer Regiment ac yn ddiweddarach yn y 12fed Bataliwn. Yr oedd yn aelod o Glwb Saethu Launceston ac enillodd wobrau lawer mewn sawl cystadleuaeth. Ef hefyd oedd y Colour Sergeant a'r Is-hyfforddwr yng nghyfnod yr Uwch Ringyll Walsh. Bu'n gysylltiedig â Chlwb Pêl-droed Gogledd Launceston pan y'i sefydlwyd ac yr oedd brawd iddo, y diweddar Mr William West, yn bencampwr paffio pwysau trwm Tasmania. Gedy un mab a thair merch.

Y pedwerydd allan o saith o blant (2 fab, 5 merch)

John Arthur West = Alma Lily Brown
(o Ynys Cape Barron –
un o frodorion Tasmania)
(25.9.1886 – 6.10.1958) (28.12.1889 – 1.10.1945)

Y pedwerydd allan o ddeuddeg o blant (5 mab, 7 merch)

Arthur Ernest West = Ruby Muriel Hyatt
(27.12.1915 – 14.11.1970) (2.6.1921 – 27.10.1971)

Yr unfed ar ddeg allan o un ar ddeg o blant (9 mab, 2 ferch)

David Geoffery West = Denise Alice Garwood
(g. 4.7.1960) (g. 21.4.1958)

Olivia Rose West **Adam David West**
(g. 16.12.1986) (g. 2.8.1996)

2. Manylion o Gyfrifiad 1841 – Plwyf Llanfechell

Gegin Filwr	**William Edwards** 65	Mill Carrier	Born Anglesey
"	**Mary Edwards** 55		Born Anglesey
			A.M., Ll.

3. Manylion o Gyfrifiad 1841 – Carchar Biwmares

Griffith David	45	Labourer	A convict	Caernarvonshire
Edward Jones	15	"	"	Anglesey
Edward Owen	30	"	"	"
Samuel Hughes	65	Farmer	A debtor	"
Hugh Jones	65	Labourer	A debtor	"

Robert Jones	55	Farmer	A debtor	"
Thomas Taylor	30	Stable Groom	A debtor	England
Anne Williams	**15**	**No trade**	**Convict**	**Anglesey**
or Edwards				
Elizabeth Hague	50	No Trade	Convict	"

A.M., Ll.

4. Manylion am y rhai a drawsgludwyd o Fôn

(Yn achosion y rhai cyntaf i'w trawsgludo o Fôn, ni ellir dweud i sicrwydd i ba ran o'r byd y'u hanfonwyd.)

i) **Margaret Stephen**, gwraig briod o Lanidan. Ei throsedd oedd dwyn defnydd yn Ffair Caernarfon a dau blât piwter o eiddo John Parry, Tafarn y Bull's Head, Biwmares ar 20 Rhagfyr, 1730. Fe'i dedfrydwyd i'w thrawsgludo am saith mlynedd yn Llys Caernarfon ar 24 Tachwedd, 1731.

ii) Labrwr o Benrhoslligwy oedd **John Probert Hughes** a dorrodd i fewn i dŷ a dwyn dillad oddi yno. Ymysg yr hyn a ddwynodd oedd byclau arian. Ceisiodd y lleidr eu gwerthu i John Williams, curad eglwys Niwbwrch. Fe'i herlynwyd gan Owen Edward, yswain ac fe'i dedfrydwyd ar 1 Mai, 1734 i'w drawsgludo am saith mlynedd.

iii) Teithiodd **Thomas Jones**, labrwr o Gaergybi, i Llanfrothen ym Meirion a dwyn dillad o dŷ Edmwnd Pritchard, teiliwr yn 1735. Wedi iddo ofyn i'r llys am 'Fudd Clerigwr – Benefit of Clergy', fe'i trawsgludwyd am saith mlynedd.

(Budd Clerigwr (Benefit of Clergy) = yn wreiddiol hawl offeiriaid i fod tu hwnt i gyfraith gwlad a ddatblygodd i fod yn hawl i droseddwr a ymddangosai o flaen y llys am y tro cyntaf gael dedfryd llawer mwy tyner. Dedfrydwyd y sawl a ofynnai am 'Fudd Clerigwr' i'w drawsgludo – yn ôl Deddf Trawsgludo 1718.)

iv) Troseddodd y labrwr **John Jenkins** ym mhentref Llanddaniel-fab ac o dŷ Hugh Clarkson y groser dwynodd y swm o 7d. Saith mlynedd o drawsgludiad oedd y gosb a ddedfrydwyd iddo ar 1 Chwefror, 1738.

v) Merch ddi-briod oedd **Jane David** o Gaergybi a fu'n dwyn dillad o dŷ ei diweddar dad. Fe'i cafwyd yn euog o ddwyn eiddo un Anne Langford, gwerth 2/- ac fe'i trawsgludwyd am saith mlynedd ar 8 Mawrth, 1740.

vi) O Benmon y deuai **Elizabeth Luke** a gweithiai fel morwyn yn Llanfaes. Cafodd ei chyhuddo o ddwyn bwyd a diod o dŷ William Jones, ei chyflogwr, a'r ddedfryd, wedi iddi ofyn am 'Fudd Clerigwr' ar 20 Chwefror, 1741 oedd ei thrawsgludo.

vii) Gweithiai **John Thomas** fel labrwr i William Pritchard yn Llangwyllog. Cafodd ei ddal yn dwyn dillad o dŷ ei gyflogwr ac fe'i trawsgludwyd am saith mlynedd ar 6 Hydref, 1743 wedi iddo ofyn am 'Fudd Clerigwr'.

viii) Un o Llanfihangel Esgeifiog oedd **Owen Williams,** labrwr, a ddedfrydwyd ar 3 Mai, 1745 i'w drawsgludo am saith mlynedd am ddwyn defnydd o eiddo Catherine Williams, gwraig weddw o Bentraeth.

ix) Cyhuddodd William Thomas, crydd o Lannerch-y-medd, **Elizabeth Williams**, gwraig briod o Lanedwen, o ddwyn dillad. Yn y Llys ym Mai 1746, fe'i dedfrydwyd i'w thrawsgludo am saith mlynedd.

x) Teiliwr teithiol oedd **Robert Jones** o Lanynghenedl ond a fu'n dwyn dillad o eiddo Hugh Davies, teiliwr o Lanfair Talhaearn. Daliwyd Jones yn Llanrwst ac fe'i dedfrydwyd ar 17 Chwefror, 1766 i'w drawsgludo am saith mlynedd.

xi) Yn Llanddyfnan y trigai **John Roberts** ac yno dwynodd ddefaid un o'i gymdogion – Michael Hughes. Yn y Llys 3 Tachwedd, 1770 fe'i cafwyd yn euog a'i gosbi gyda thrawsgludiad am saith mlynedd.

xii) Mentrodd **William Jones**, ffermwr o Fiwmares i Langrannog, sir Aberteifi lle y'i daliwyd yn dwyn dillad ac esgidiau o eiddo Benjamin Owen, crydd. Ar 16 Mawrth, 1773 fe'i cafwyd yn euog a'i drawsgludo am saith mlynedd.

xiii)   Cafwyd **Margaret Thomas** o Lanberdr-goch yn euog o ddwyn clogyn gwerth 8d; barclod gwerth 2d o eiddo Lowry Jones o Draeth Coch yn Llys Chwarterol 20 Mehefin, 1773. Fe'i dedfrydwyd i'w thrawsgludo am saith mlynedd.

xiv)   Dwyn pum swllt o dŷ Judith David, gwraig weddw o Gaergybi, wnaeth **William Jones**, gwehydd o'r dref. Fe'i cafwyd yn euog ar 20 Ebrill, 1786 a'i drawsgludo am saith mlynedd.

xv)   Efallai mai'r cyntaf o Fôn i'w drawsgludo i Awstralia oedd **John Jones**, cyfrwywr o Amlwch. Ei drosedd oedd derbyn arian drwy dwyll pan gyflwynodd fil i'r Parys Mine Company am grwyn anifeiliaid gwerth £12 12s 6d. Erlynwyd ef gan William Hughes (Madyn Dusw, efallai) ac fe'i cosbwyd ar 6 Awst, 1787 a'i ddedfrydu i'w drawsgludo am saith mlynedd.

xvi)   Labrwr o Geirchiog oedd **Hugh Morris alias Jones** a ddaliwyd yn dwyn dillad o eiddo Richard Roberts o Langristiolus. Fe'i dedfrydwyd i'w drawsgludo am saith mlynedd ar 6 Awst, 1801.

xvii)   Mae hanes **Sara Owen**, gwraig ddi-briod o Langefni yn un trist iawn. Fe'i cafwyd yn euog o ddwyn 4 gobennydd gwerth 1/-; 2 gynfas liain gwerth 6d; 2 dywel gwerth 6d; 2 gap merch gwerth 2d o eiddo Owen Thomas o Langristiolus ar 22 Mai, 1807 a'i dedfrydu i'w thrawsgludo am saith mlynedd. Yn 1809 gwnaed cais am bardwn i Sarah gan Mr O. Owen, llawfeddyg, am ei bod bellach yn wallgof.

xviii)   **William Robinson alias Roberts**, labrwr o Fiwmares ymddangosodd o flaen y llys ar 10 Chwefror, 1811 wedi ei gyhuddo o ddwyn dillad o'i lety o eiddo James Harries, tafarnwr o Fiwmares. Fe'i daliwyd yn Yr Amwythig yn dilyn eitem am y lladrad yn y *North Wales Gazette*. Cafodd ei drawsgludo am saith mlynedd.

xix)   Nodir galwedigaeth **Joseph Lee** o Amlwch fel 'outwasher of brass'. Dwynodd geffyl o eiddo Edward Roberts, ffermwr o Lanelwy. Ar 12 Ebrill, 1816, dedfrydwyd iddo'r gosb eithaf ond wedi ailystyried, newidiodd y barnwr y ddedfryd i un o drawsgludiad am oes.

xx) Labrwr o Langian, sir Gaernarfon oedd **John Hughes** a ddwynodd heffer o eiddo William Thomas, ffermwr o Langristiolus. Fe'i disgrifiwyd fel *'desperate character'* a chafodd ei ddal ym Mhwllheli, chwe mis ar ôl y digwyddiad, gan iddo fod yn gyrru gwartheg i Loegr. Fe'i dedfrydwyd ar 23 Ebrill, 1819 i ddioddef y gosb eithaf, ond wedi cael pardwn y brenin fe'i trawsgludwyd am bedair blynedd ar ddeg. Caniatawyd £30 gan y Llys i Thomas Jones, capten y brig *Esther*, i gludo Hughes i Lundain.

xxi) Er nad oes nemor ddim manylion ar gael am drosedd **John Jones** oedd ar yr hylc y *Laurel* yn harbwr Gosport, Portsmouth yn aros i'w drwasgludo, bu'r awdurdodau ym Môn, yn 1818, yn trafod pwy oedd yn gyfrifol am gostau symud ei deulu o Lanfaethlu i Gaergybi.

xxii) Yn 1820, cafwyd **John Hughes** yn euog o ddwyn anner gwerth £5 o eiddo William Thomas. Y gosb oedd iddo gael ei grogi ond wedi ailystyried, fe'i newidiwyd i drawsgludiad am bedair blynedd ar ddeg.

xxiii) Yr oedd **Catherine David Ellis**, Biwmares yn adnabyddus dan fwy nag un enw – alias Owens, gwraig weddw; alias Elin Davies, di-briod. Torrodd i mewn i dŷ a dwyn dillad: 6 hances boced sidan, 1 hances boced gotwm a phâr o fenig gwerth 25/-, o eiddo John Jones, ffermwr o Aberffraw. Dedfrydwyd y gosb eithaf ond wedi derbyn pardwn cafodd ei thrawsgludo am bedair blynedd ar ddeg. Caniatywd £30 gan y Llys i Thomas Jones, capten y brig *Esther*; i gludo Catherine i Garchar Millbank, Llundain.

xxiv) Cyfaddefodd **John Nicholas alias Nicholls**, cigydd o Lanffinan i'r Llys ar 5 Mai, 1821 mai dafad Moses Williams o Lansadwrn oedd y peth cyntaf iddo ei dwyn – ers cael ei ryddhau o garchar! Fe'i trawsgludwyd am oes wedi ail ystyried y ddedfryd wreiddiol o'r gosb eithaf.

xxv) Yr oedd **Mary Thomas alias Mary Lewis** un ai'n wraig neu'n gywely i John Lewis, Treffynnon, Fflint ac yn gwneud mopiau wrth ei galwedigaeth. Fe'i harestiwyd yn Nhreffynnon a'i chyhuddo o ddwyn dillad ac arian o eiddo John Jones o

Bentraeth, Ynys Môn. Ar 2 Rhagfyr, 1822, fe'i dedfrydwyd i'w thrawsgludo am saith mlynedd.

xxvi) Yr oedd gan Norris Matthew Goddard un ar ddeg llwy arian i'w enw cyn i **John Jones**, labrwr o Gaergybi eu dwyn. Plediodd yn euog i ddwyn eiddo gwerth £2 ac fe'i trawsgludwyd am saith mlynedd.

xxvii) Ffraeodd **Elizabeth/Mary Thomas alias Lewis** efo'i rhieni, gadawodd ei chartref a mynd i fyw efo'i chariad. Fe'i daliwyd yn dwyn dillad ac ym mis Mawrth 1823 fe'i dedfrydwyd i saith mlynedd yn Van Diemen's Land am ei throsedd gyntaf. Tra yn y carchar ym Miwmares, bu farw ei phlentyn. Ni ddangoswyd unrhyw drugaredd a mynd fu raid iddi ac fe'i hanfonwyd allan ar y llong *Brothers*. Cychwynnodd y llong ar ei thaith ar 6 Rhagfyr, 1823 a chyrraedd Van Diemen's Land ymhen 131 diwrnod ar 15 Ebrill, 1824. Ar ei bwrdd efo Mary roedd 88 o garcharorion (merched) eraill; 50 wedi eu dedfrydu i gaethiwed yn VDL a'r gweddill i New South Wales. Meistr y llong oedd Chas. Motley a'r Llawfeddyg James Hall yn gyfrifol am iechyd y sawl oedd ar ei bwrdd. Disgrifiwyd James Hall fel unigolyn '. . . *zealous, meddlesome and litigious* . . . '. Yr oedd yn enwog am gamdrin merched ar fwrdd y llong a gwnaeth enw drwg iddo'i hun mewn dim amser. '*The manner he sought to surpress prostitutes on the "Brothers" quickly earned him the enmity of the worst of the prisoners and of a section of the crew.*' Ar ôl wythnos o hwylio, ar 12 Ragfyr, ymosodwyd arno gan chwech o'r merched gan ei guro a'i gicio. Yr oedd Hall o'r farn fod y mêt – James Thompson Meach – wedi cynnig potelaid o rym iddynt am eu gwaith. Gorchmynnwyd i'r chwech gael eu cadw yn y cwt glo ar fara a dŵr am wythnos gyda chaniatâd iddynt ddod ar y dec am awyr iach yn ddyddiol. Wedi cyrraedd, gwrthodwyd cais Hall i'r Twrnai Cyffredinol i godi achos yn erbyn Meach ac yn ddiweddarach awgrymodd Syr Thomas Brisbane i'r awdurdodau wrthod cais Hall i fod yn un o ddinasyddion y 'Wlad Newydd'.

Anfonwyd Elizabeth i weithio mewn ffatri ond nid oedd â'i bryd ar aros yno'n hir gan iddi dyllu drwy wal y ffatri ar 5 Rhagfyr, 1824 a cheisio dianc. Cafodd ei dal a'i chosbi. Torrwyd ei gwallt a bu raid iddi fyw ar fara a dŵr a gwisgo coler haearn, bigog am saith niwrnod. Does neb yn gwybod beth ddigwyddodd iddi wedi hynny.

xxviii) Aros yn nhafarn Thomas Spencer yng Nghaergybi oedd Robert Ruttledge Bloomfield, Ysw., swydd Mayo, Iwerddon, ym mis Gorffennaf 1827 pan gollodd ddillad gwerth £1 5s 7d o'i goets. **Richard Jones**, labrwr o'r dref oedd y lleidr a gafwyd yn euog o'r drosedd ac fe'i dedfrydwyd i'w drawsgludo am saith mlynedd.

xxix) Ar 20 Chwefror, 1829 cafwyd **William Jones**, labrwr o Lanfair-yn-neubwll yn euog o ddwyn pum mamog a phum molltyn o'r eiddo Richard Jones, Llanfaelog. Fe'i dedfrydwyd i'w grogi ond wedi pardwn fe'i trawsgludwyd am oes. Tra'n disgwyl am long i Awstralia bu William yn garcharor ar *Justitia* yn Woolwich ar yr afon Tafwys yn Llundain.

xxx) Temptiwyd **Catherine Williams** yn 1827, gan jwg hufen o wydr porffor, gwerth 1/3d, un pot siambar gwerth 5 ceiniog a het gwerth 3/6d. Fe'i dwynodd ac fe'i daliwyd. Ymddangosodd o flaen y Llys Chwarterol a'i dedfrydu i'w thrawsgludo am saith mlynedd. Ymunodd ag un arall – John Roberts, oedd yn aros i gychwyn y daith i 'Ben Draw'r Byd' yng Ngharchar Biwmares.

Manylion o Garchar Biwmares
A Kalender of prisoners in the Common Gaol of the County of Anglesea this 20th day of April 1830.

Prisoners Names	When brought into Custody	Cause or Offence	How Subsisted
Catherine Williams	Nov. 15th, 1827	Under sentence of Transportation for Larceny	Spinning
John Roberts	Feb. 13th, 1830	Under sentence of Transportation Felony	4d pr day County Allowance

A.M., Ll.

xxxi) Mewn adroddiad yn y *Caernarvon and Denbigh Herald*, dyddiedig 23 Mawrth, 1833 ceir y manylion canlynol: '*Owen Jones was indicted for stealing money and other articles from the dwelling house of Hugh Lewis. The prisoner was living as farm servant with the prosecutor Hugh Lewis at Ty'n y Bwlch in the pa. of Llanddyfnan. His master at 4 am on the 3rd Sept. directed him to go and fetch the cart for the purpose of carrying in the corn. He himself got up at 5 and upon getting up he missed his shoes, and found on examining his box that four sovereigns and 24 shillings and 6d had been abstracted from it. The prisoner was pursued and apprehended between Barmouth and Dolgelley. He had on then a coat and waistcoat, trousers and hat belonging to the prosecutor and delivered up part of the money to the constable. The prisoner had been nearly a year in his master's employ and according to his testimony had behaved himself very well during that time.'* Fe'i cafwyd yn euog a'i ddedfrydu i'w drawsgludo am ei oes. Aelodau'r rheithgor yn yr achos oedd:

Syr W. B. Hughes (Fforman)

W. O. Stanley, Ysw.	M. M. Goddard
W. W. Sparrow	T. Grey
J. H. H. Lewis	W. P. Poole
J. Price	T. Owen
W. P. Lloyd	W. Peters
T. Williams	S. Roose
H. H. Jones	E. O. Snow
W. B. Pritchard	W. Sparrow

xxxii) O'r *Caernarvon and Denbigh Herald* dyddiedig 21 Mawrth, 1835, ceir adroddiad am achos llys lle y cyhuddwyd **David Williams** o Gaergybi o ymosod ar a thrywanu William Ruby, y ddau yn llongwyr ar y llong baced *Etna* (Capten Emerson). Dywedwyd bod Williams wedi ceisio lladd, anablu ac achosi niwed corfforol difrifol i Ruby dan ddylanwd y ddiod gadarn. Fe'i cafwyd yn euog a'i gondemnio i farwolaeth cyn ailystyried a'i ddedfrydu i'w drawsgludo am oes.

xxxiii) Yn 1835 trawsgludwyd **Richard Edwards**, labrwr a arferai fyw ym mhlwyf Trefdraeth, am ei oes ar ôl ei gael yn euog o ddwyn cwdyn o ddarnau aur o dŷ John Williams, Tyddyn Oliver.

xxxiv) Caniatawyd £13, yn Awst 1836, at glirio costau cludo **Samuel Hughes** o Fôn i'r hylcs cyn ei drawsgludo, ar ôl ei gael yn euog o ddwyn.

xxxv) Trawsgludwyd **Margaret Williams** am ei hoes wedi ei chael yn euog o ladrata yn 1837. Ni fu'r ffaith i beth o'r arian a ddygodd gael eu darganfod o gymorth i'w hachos.

xxxvi) Yn Seisus Awst 1838, dedfrydwyd **Henry Hughes** i fis o lafur caled a'i drawsgludo am saith mlynedd wedi iddo gyfaddef dwyn dillad o eiddo Robert Roberts ac oriawr o eiddo Richard Parry.

xxxvii) Er mai fel labrwr y disgrifir **William Williams** o Langadwladr, mae lle i gredu ei fod yn ysgolfeistr mewn ysgol genedlaethol. Beth bynnag oedd ei amgylchiadau, fe'i cafwyd yn euog o ddwyn a lladd maharen gwerth 35/-o eiddo Owen Roberts. Ei gosb oedd ei drawsgludo am oes, ond fe newidiwyd y tymor i ddeng mlynedd.

xxxviii) Yr un oedd cosb ei gyd-ddrwgweithredwr **Griffith Jones**, labrwr o Drefdraeth. Bu'r ddau o flaen eu gwell ar 5 Mai, 1840.

xxxix) Pledio yn ddi-euog a wnaeth **Hugh Rowlands** pan gyhuddwyd ef o saethu at John Hughes o Lanfair Din Sylwy yn y Seisus ar 8 Awst, 1840. Fe'i cafwyd yn euog o geisio lladd ac achosi niwed corfforol difrifol a'i drawsgludo am ddeng mlynedd.

xl) **John Parry**, labrwr o Landdaniel-fab a gyhuddwyd o ddwyn '. . . *one promisory note for £17 and one note for the payment of £17 . . . property of John Williams . . .* ' ac fe'i trawsgludwyd am saith mlynedd. Ond yn ôl y barnwr yn 1841 ni allai fod yn sicr pwy oedd ar fai oherwydd: ' . . . *gross and wilfull perjury on one side or the other . . .* ' yn yr achos.

xli) Cafodd **John Hughes**, labrwr o Drefdraeth ei ddirwyo 1/- am ddwyn eiddo Thomas Williams ar 4 Ionawr, 1842. Yn yr un achos fe'i dedfrydwyd i'w drawsgludo am ddeng mlynedd am ddwyn hances boced a gwydr o eiddo Henry Williams.

xlii) O blwyf Sant Pedr, Niwbwrch y deuai **John a Hugh Thomas**, labrwyr. Ar 4 Ionawr, 1842, fe'u cafwyd yn euog o dorri i fewn i dŷ a dwyn:
4 hances boced sidan
2 dorth farlys

71

2 dorth

6 pwys o fara

Tra'n aros eu trawsgludiad am saith mlynedd, bu'r ddau yng Ngharchar Woolwich, Llundain. Eiddo Rowland Williams oedd y cyfan ac mae'n siŵr iddo gael ei fodloni â'r ddedfryd ar ôl colli eiddo gwerth chwe swllt a chwe cheiniog!

xliii) Dau arall fu'n gwneud drygioni a'i gilydd oedd y ddau gigydd – **Owen Jones** o Lanbadrig. Ar 13 Mawrth, 1842, fe'u cafwyd yn euog o ddwyn dwy ddafad o eiddo William Hughes ac fe'u traswgludwyd am saith mlynedd. ' . . . *in the fifth year of the Reign of our Sovereign Lady Victoria at the parish aforesaid in the County aforesaid two live sheep of the price of two pounds of the Cattle Goods and Chattels of one William Hughes then and there feloniously did steal take and drive away agaisnst the peace of our Lady the Queen her Crown and her Dignity.*' Plediodd y ddau yn ddi-euog ond mynd fu raid iddynt: ' . . . *Transportation of each for seven years.*' ac ni welsant hwythau Lanbadrig fyth wedyn.

A.M., Ll.

xliv) Ar 5 Ebrill, 1842, safai **Hugh Hughes** o Benmynydd o flaen y llys wedi ei gyhuddo o ddwyn pedair dafad o eiddo Thomas Glynne. Fe'i trawsgludwyd am ei oes.

xlv) ' . . . **Thomas Thomas**, *otherwise Hughes, stood at the bar in soldier's dress charged with breaking and entry into the shop of David Williams of Aberffraw and stealing 10/-; 20 sixpenny pieces; 24 halfpennies; 20 yards of material; 18 yards of ribbon; a canister and a tin box on November 12, 1841.*' Fe'i trawsgludwyd am saith mlynedd.

C. & D. H., 7 Ionawr, 1843

xlvi) Ar 25 Mawrth, 1843 cafwyd **Evan Morgan** ac **Ellis Williams** yn euog o ddynladdiad: ' . . . *murder of William Parry with a sharp instrument or knife on July 14, 1842 in the pa. of Llangefni . . . each was charged with aiding and abetting the other . . .* ' Eu cosb oedd eu trawsgludo am eu hoes.

xlvii) Am ddwyn dwy letwad arian a gefail siwgwr arian o eiddo William Jones, trawsgludwyd **William Roberts** o Amlwch, yn 1843, am saith mlynedd.

Ymddangosodd **Elizabeth Williams** deirgwaith o flaen y Llys ar yr un cyhuddiad o ddwyn. Diddorol yw sylwi yn y cofnodion bod nifer o'r tystion i'r drwgweithredu yr un rhai yn aml, gan gynnwys Edmund Pritchard, Hannah Pritchard, Ann Morris, Eleanor Parry, Mary Williams – a dystiodd mewn dau achos yn ei herbyn, a Hannah Owen – a dystiodd deirgwaith! Oedd yna gynllwyn yn ardal Llandyfrydog, tybed, i gael gwared ag Elizabeth am ei bod yn 'pechu' yn aml? Mae'n amlwg mai defnydd a dillad megis:

14 llath o ddefnydd Orleans (defnydd o wstid a chotwm ar gyfer gwneud ffrogiau)
7 llath o 'stuff' (enw cyffredinol am ddefnydd sidan, gwlân, gwallt neu gotwm)
1 ffrog
1 ffrog arall

a'r cyfan yn werth 35 swllt, oedd yn mynd â'i bryd gan mai dyna oedd ar y tri rhestr o eiddo Grace Jones, Margaret Edwards a Edmund Pritchard a gyflwynwyd i'r awdurdodau. Ni ddangosir dedfryd ym manylion y llys. Dywedir iddi fod wedi ' . . . *steal take and carry away against the peace of our said Lady the Queen, her crown and dignity'*.

Ar ei hailymddangosiad o flaen y Llys Chwarter, yr un oedd y cyhuddiad a'r defnyddiau yn debyg iawn:

6 llath o 'Linsey'
3 llath o sidan
1 ffrog
1 goban nos
3 llath o ddefnydd cotwm wedi ei brintio

a'r cyfan yn werth 26 swllt. Yr eildro, fe'i dirwywyd 2 swllt.

Yn Seisus, 3 Ionawr, 1843 dedfrydwyd Elizabeth Williams i saith mlynedd yn Van Diemen's Land am ddwyn dillad a defnyddiau eto, o eiddo Edmund Pritchard. Yr oedd y rhestr yn un hir ac yn dangos na allai Elizabeth 'faddau' os codai'r cyfle:

1 clogyn gwerth 20 swllt
1 mantell gwerth 20 swllt
5 ffunan boced sidan gwerth coron (5/-)
5 ffunan arall gwerth coron
1 siôl gwerth 2 swllt
1 ffrog gotwm gwerth coron
2 ffrog 'Linsey' gwerth 20 swllt

3 ffrog arall gwerth 20 swllt
12 llath o ddefnydd cotwm gwerth 7 swllt
1 pâr o sanau gwlân gwerth swllt
1 pâr arall o sanau gwerth swllt
1 het gwerth coron
1 pâr o esgidiau gwerth 2 swllt
1 bais gwerth swllt
1 cap gwerth chwe cheiniog
1 basged gwerth chwe cheiniog

A.M., Ll.

Ni ddywedir yn y dystiolaeth os mai er mwyn cario'r gweddill i ffwrdd y dwynwyd y fasged. Fe'i danfonwyd i Garchar Millbank, Llundain. Gwnaed y trefniadau gan Isel-Siryf Ynys Môn a thalwyd swm o £14 2s 0d i sicrhau ei bod yn cyrraedd yno'n ddiogel.

Hwyliodd i Awstralia ar y barc 383 tunnell *Emma Eugenia*, dan ofalaeth y Capten George Ketterwell a'r Llawfeddyg John Wilson, MD. Cychwynnodd y daith ar 9 Tachwedd, 1843 a diweddu ymhen 124 diwrnod ar 18 Ebrill, 1844. Yr oedd Elizabeth yn un o 170 ar ei bwrdd. Yn ôl adroddiad gan y Llawfeddyg, sydd ar gael yn y Swyddfa Cofnodion Cyhoeddus, symudwyd y carcharorion i'r llong, oedd yn Woolwich, o Garchar Millbank. Yr oedd y mwyafrif helaeth yn iach, ond dioddefai rhyw saith neu wyth o'r dolur rhydd. Bu hwnnw'n gydymaith cyson ar hyd y daith ond yr oedd y feddyginiaeth o hanner owns o Swlffad o Fagnesiwn, owns o Gastor Oil, ugain grawn o *'Species Ins. Confectione Opii'* a dôs dda o sialc wedi ei gymysgu efo Kina ac Opiwm yn ei glirio o fewn deuddydd! Tra yn dioddef o'r clwy', caed daü ymweliad dyddiol gan y meddyg. Mewn storm, byddai'n ymweld â'r ysbyty bedair neu bump gwaith y dydd. Ar dywydd braf, yr oedd y drefn yn llawer mwy hamddenol gyda'r carcharorion ar y dec o wawr hyd fachlud:

7 o'r gloch y bore – codi a mynd â'u gwlâu allan i gael gwynt
8 o'r gloch y bore – brecwast
8.30 o'r gloch y bore – dechrau sgwrio'r dec isaf
10 o'r gloch y bore – y meddyg yn ymweld â'r cleifion, yr ysbyty a'r carchar
4 o'r gloch y prynhawn – ymweliad eto

Wedi cyrraedd Hobart, yr oedd tri chlaf yn yr ysbyty yn gaeth i: ' . . . *Chronic Gastritis, Chronic Rheumatism, & Sanguineous Diarrhoea . . .* ' a nifer o rai eraill fel Sophia Jacobs, Jane Tate, Hannah Harley, Elen Lane ac Alice Moore yn cwyno o afiechydon llai difrifol. Ond yr oedd un, o'r enw Jane Grady, yn rhoi achos i bryderu amdani ar y pryd: ' *. . . this case is marked Dyspepsia in the absence of a more appropriate designation. The patient had had a very irregular life for several years and was nineteen times in jail before Conviction. Her present illness appeared to be the consequence of her jumping overboard half way between the Cape & Hobart Town. She had handcuffs on at the time as a punishment for striking & wounding the Chief Officer. About fifteen minutes afterwards I caught her by the hair about half arms length under water . . .* ' Beth bynnag fu achos y ffrwgwd, daeth Jane at ei choel, fel y lleill, ond ni fu . . . Hinton mor ffodus: ' *. . . after one or two relapses died in Hospital.*'

xlix) Treuliodd **Hugh Hughes**, labrwr o Drefdraeth gyfnod ar yr hylc *Warrior* yn Woolwich cyn ei drawsgludo am ei oes am ddwyn pump dafad o eiddo John Williams. Bu o flaen ei well ar 5 Ebrill, 1843.

l) Ar 17 Hydref, 1843 cyhuddwyd tri ynglŷn ac achos o ddwyn dau ddarn o ddefnydd – **Hugh Thomas** – yr hynaf a'r ieuengaf a **Thomas Thomas** o Landdaniel-fab. Fe'u cafwyd yn euog a'u trawsgludo am saith mlynedd.

li) Mae Deddfau Seneddol 39+40 Geo II yn ei gwneud yn drosedd i feddiannu unrhyw eitem â'r 'Saeth Lydan' *(Broad Arrow)* arno, h.y. eiddo'r Lluoedd Arfog. Dyna gamgymeriad **John Owen** ac fe'i cosbwyd yn 1844 a chafodd ei drawsgludo am saith mlynedd am ddwyn haen *(sheet)* o gopr, bollt gopr, morthwyl a pheiriant hoelbren o Storfa'r Frenhines yng Nghaergybi.

lii) Un ai fod cymysgu wedi bod yn y cofnodi neu i **Owen Jones**, cigydd o Lansadwrn fentro'i law unwaith yn rhy aml, gan fod dau gofnod tebyg iawn i'w gilydd ar gael – un wedi'i ddyddio 20 Mehefin, 1845 a'r llall 5 Gorffennaf, 1845. Mae'r cofnod cyntaf yn dweud iddo ddwyn tair dafad gwerth deg swllt ar hugain o eiddo J. a H. Williams ac iddo gael ei drawsgludo am ddeng mlynedd. Yn ôl yr ail gofnod dywedir mai o

Borthaethwy y deuai Owen. Fe'i cafwyd yn euog o ddwyn molltyn o eiddo H. Williams, Bryn Eryr, Llansadwrn. (Nodir, hefyd, iddo fod yn euog o ladrad blaenorol.) Bu'r rheithgor yn trafod o hanner awr wedi wyth y nos hyd hanner awr wedi hanner nos cyn penderfynu ei drawsgludo am ddeng mlynedd.

liii) O Amlwch y deuai **Ellis Roberts** yn wreiddiol ond treuliodd o leiaf saith mlynedd yn Awstralia o 1848 ymlaen, ar ôl ei drawsgludo yno am ddwyn dwy ddafad o eiddo Hugh Roberts.

liv) Yn 1849 derbyniodd **Mary Owen/Williams** o ardal Amlwch gosb o saith mlynedd yn Van Diemen's Land am ddwyn: ' . . . *with force and arms':*

1 mwffler gwerth 2 swllt
1 mwffler gwlân gwerth 2 swllt
1 mwffler arall gwerth 2 swllt
1 siôl gwerth 2 swllt
1 siôl wlân gwerth 2 swllt
1 siôl arall gwerth 2 swllt
1 ffrog o ddefnydd mwslin Delane gwerth 13 swllt
12 llath o fwslin gwerth 13 swllt
1 darn o ruban gwerth 10 swllt
20 llath o ruban gwerth 10 swllt, i gyd yn eiddo i John Hughes

Wrth ei dedfrydu i saith mlynedd yn VDL atgoffwyd y llys bod hwn yr eildro iddi ymddangos o flaen ei gwell a bod y ddedfryd 'euog' gyntaf yn parhau: ' . . . *in full force strength and effect and not in the least reversed annulled or made void.'* rhag ofn i rywun ddangos trugaredd ati, mae'n siŵr.

A.M., Ll.

Hwyliodd ar y llong *Saint Vincent,* dan ofal y Capten, John Young a'r Llawfeddyg, Sam Donnelly. Dechreuodd y daith ar 19 Rhagfyr, 1849 a diweddu ymhen 106 o ddiwrnodau ar 4 Ebrill, 1850. Collwyd dwy garcharor allan o 207 yn ystod y fordaith.

lv) Ar 24 Tachwedd, 1849 trawsgludwyd criw o ladron o Fôn am dorri i mewn i dai. Ymysg aelodau'r criw yr oedd: **Jessie White,** oedd yn byw ym Modedern ar y pryd ac a gludwyd i Awstralia ar yr *Emma Eugenia.* Rhai eraill o'r criw oedd **Thomas Taylor,**

76

William White, James Emanuel Crabb, James Brown, William Watkins a **George Hand** – oedd â'u henwau i gyd yn awgrymu nad ym Môn oedd eu gwreiddiau. Fe'u cafwyd yn euog o ddwyn eiddo John Hughes, crydd, Hen Bandy, Bodedern. Meddai Syr Richard Williams Bulkeley: *'It was shocking to see the prisoners, all young Englishmen between the ages of 17–25 years, who had gone into the island with others still at large, with no other object than to commit depredations.'*

lvi) Ar 23 Mawrth, 1850 cafwyd **Thomas Smith** o Aberffraw a **John Evans** yn euog o ddwyn oriawr ac esgidiau o eiddo Owen Lazarus o Lanfihangel Tre'r Beirdd a'u trawsgludo am saith mlynedd.

lvii) Yn dilyn ymddangosiad yn Seisus Biwmares ym mis Gorffennaf 1850 ar gyhuddiad o fwrgleriaeth yn Aberffraw, dedfrydwyd y canlynol i'w trawsgludo i Van Diemen's Land am saith mlynedd:

> **Thomas Davies** – 29 mlwydd oed
> **Richard Collis** – 23 mlwydd oed
> **John Roberts** – 26 mlwydd oed
> **Thomas Morris** – 31 mlwydd oed
> **Ellen Davies** –   19 mlwydd oed *'. . . a freckled "nurse girl"*
> *. . . '* – anfonwyd allan ar y llong *Aurora*

Bodlonwyd y barnwr, Syr Thomas Noon Talfourd, eu bod yn rhan o griw llawer mwy oedd yn arfer crwydro'r wlad gyda'r bwriad o ddwyn ac iddo ddod ar eu traws am y tro cyntaf yn y Drenewydd. Ym Miwmares fe'u cyhuddwyd o fod wedi dwyn cosyn o gaws, darnau o gig mochyn, dwy ddesg ysgrifennu, cist, bocs cenhadaeth, tri phâr o esgidiau a siôl o dŷ William Williams, Selar ym mhlwyf 'Berffro. Meddai'r barnwr: *' . . . they were part of a gang of persons travelling the country without any other object than plunder, and though they had not yet arrived at that pitch of depravity as to use deadly weapons on their nightly depradations, it would be his duty to place it out of their power, at least for some time, to continue in their wicked career.'*

lviii) Yn 1850, **John Thomas/ Roberts** oedd yr olaf o Fôn i'w drawsgludo. Ei drosedd oedd dwyn defaid o eiddo Richard Davies ac fe'i anfonwyd i Awstralia am saith mlynedd.

Ffynonellau: *C&DH*; Ll.G.C.; A.M., Ll.

Llyfryddiaeth

1. *A Concise History of Australia,* Stuart MacIntyre, Cambridge University Press, 2003.
2. *Adgofion am Llanfechell a'r Cylch,* Robert Edwards 1909.
3. *Adroddiad ar Gyflwr Addysg Yng Nghymru,* 1847.
4. *Australians from Wales,* Lewis Lloyd, Gwynedd Archives and Museums Service 1988.
5. *Braslun o Eglwysi ac Ardal,* Y Parch. G.W. Edwards, 1996.
6. *Caernarfon and Denbigh Herald* 1842 & 1847.
7. *Convict Maids,* Deborah Oxley, Cambridge University Press 1966.
8. *Convict Women,* Kay Daniels, Alen & Unwin 1998.
9. *David Copperfield,* Charles Dickens, 1850.
10. *Down Under,* Bill Bryson, Black Swan Books 2001.
11. *English Passengers,* Matthew Kneale, Penguin 2002.
12. *Enwogion Môn,* R. Môn Williams, North Wales Chronicle 1913.
13. *Gronwy Ddiafael, Gronwy Ddu,* Alan Llwyd, Cyhoeddiadau Barddas 1997.
14. *Hanes Cymru,* John Davies, Penguin Books 1992.
15. *History of the Island of Mona,* Angharad Llwyd, 1833.
16. *In the Land of Oz,* Howard Jacobson, Penguin 1987.
17. *John Williams, Brynsiencyn,* R.R. Hughes, Llyfrfa'r Cyfundeb Caernarfon 1929.
18. *Journal of His Majesty's Ship Garland Grove,* William Bland 1842/43, Yr Archif Genedlaethol.
19. *Llên a Llafar Môn,* Gol.: J.E. Caerwyn Williams, Cyngor Gwlad Môn 1963.
20. *Methodistiaeth Môn,* J. Pritchard, D. Jones, Amlwch 1888.
21. *Our Country's Good,* Timberlake Wertenbaker, Methuen Drama 1995.
22. *Reminiscences of the Voyage of the 'Garland Grove 2',* Abraham Harvey.
23. *Shadow over Tasmania* – The whole story of the convicts, Coultman Smith, 1967.
24. *Tasmania – A Place to Remember,* M. Dole + D. Harding, The Tasmanian Book Company, 1966.
25. *The Birth of Sydney,* Tim Flannery, Heinemann 1999.
26. *The Convict Ships 1787 – 1868,* Charles Bateson, Brown, Son and Ferguson 1985.
27. *The Day Before Yesterday,* E.A. Williams (translated by G. Wynne Griffith) 1988.
28. *The Fatal Shore,* Robert Hughes, Pan 1988.
29. *The Intolerable Hulks,* C. Campbell, Fenestra Books 2001.

30. *The Picture of Dorian Grey*, Oscar Wilde.
31. *Topographical Dictionary of Wales*, Samuel Lewis, 1849.
32. *Welsh Convict Women*, Deirdre Beddoe, Stewart Williams Publishers 1979.
33. *Y Fordaith Bell*, Aled Eames, Gwasg Gwynedd 1993.

' . . . Ond y mae eraill nad oes iddynt goffadwriaeth; darfu amdanynt fel pe baent heb eu geni; aethant fel rhai na fuont erioed, a'u plant ar eu holau yr un modd.'

Ecclesiasticus pennod 44, adnod 9